Einfach schreiben!

Deutsch als Zweit- und Fremdsprache A2 – B1

Sandra Hohmann

Ernst Klett Sprachen
Stuttgart

1. Auflage 1 6 5 4 3 | 2016 15 14 13

Internetadresse: www.klett.de

Autorin: Dr. Sandra Hohmann
Unter Mitarbeit von Stefanie Plisch de Vega

Gestaltung und Satz: Ulrike Promies
Herstellung: Alexandra Veigel-Schall
Umschlaggestaltung: Friedemann Bröckel
Reproduktion: Meyle + Müller, Medienmanagement, Pforzheim
Druck und Bindung: GraphyCems
Printed in Spain

ISBN 978-3-12-676231-1

Liebe Lernende, liebe Kursleitende,

mit diesem Trainer können Sie gezielt das Schreiben auf den Niveaustufen A2 und B1 üben. Abwechslungsreiche Aufgaben führen Sie vom einzelnen Wort bis zum ganzen Text.
Einfach schreiben! orientiert sich dabei am offiziellen Rahmencurriculum für Integrationskurse und ist nach Themenfeldern aufgebaut: Von Einkaufen über Gesundheit bis hin zu Versicherungen wurden die wichtigsten Handlungsfelder ausgewählt.
Einfach schreiben! bereitet Sie einerseits auf die Schreibaufgaben in den Prüfungen der Niveaustufen A2 und B1 vor, indem Sie Briefe oder E-Mails zu einer vorgegebenen Situation und zu vorgegebenen Punkten verfassen. Andererseits trainieren Sie so auch Schreibprozesse und bereiten sich dadurch auf reale Schreibanlässe vor – ganz unabhängig von einer Prüfung.
Jedes Kapitel beginnt mit einer Seite zum Einstieg in das Thema und führt Sie in Unterkapiteln an verschiedene Schreibanlässe heran, z. B. Beschwerde, Bitte um mehr Informationen, Entschuldigung, Kurzbewerbung. Dabei wiederholen Sie typische Strukturen und lernen Wendungen kennen, die gerade in Briefen und E-Mails häufig benutzt werden. Am Ende bearbeiten Sie prüfungsähnliche Aufgaben und können so das Gelernte anwenden.
Die Kapitel können Sie in beliebiger Reihenfolge – ganz nach Ihren Interessen – bearbeiten. Verweise zu anderen Kapiteln helfen Ihnen, bestimmte Strukturen auch in einem anderen thematischen Kontext zu üben.
Der Schwerpunkt dieses Trainers liegt auf dem Deutsch-Test für Zuwanderer, aber auch die Prüfungen auf den Niveaustufen A2 (Start Deutsch 2) sowie B1 (Zertifikat Deutsch) wurden einbezogen. Ein separates Kapitel zum Teil „Schreiben" aller drei Prüfungen gibt Ihnen einen Überblick über Aufbau und Ablauf und hilft Ihnen mit Tipps und Aufgaben bei der Vorbereitung auf eine Prüfung.

Lösungen zu den Aufgaben im Buch finden Sie unter www.klett.de/einfachschreiben im Internet.

Viel Spaß und Erfolg bei der Arbeit mit *Einfach schreiben!* wünschen
Autorin und Verlag

Folgende Symbole werden im Trainer verwendet:

- Hier müssen Sie schnell Ideen sammeln.
- Hier erhalten Sie wichtige Tipps.
- → Verweist auf ähnliche oder weiterführende Übungen im Buch.
- Diese Aufgaben schreiben Sie in Ihr Heft oder auf ein Blatt Papier.

Lösungen finden Sie unter
www.klett.de/einfachschreiben

1 | Schreiben Sie etwas über sich.

Name: ______________________

Geburtsdatum / -ort: ______________________

Familienstand / Kinder: ______________________

Ich mag gern …: ______________________

____

Ich kann gut: ______________________

____

Foto von mir

2 | Sie bekommen eine E-Mail von Ihrem Freund Junis.

a Lesen Sie die Mail und unterstreichen Sie die Fragen, die Junis hat.

Von: Junis Maddah
Betreff: Deutschprüfung

Hallo ……………………,

ich habe gehört, dass du bald deine Deutschprüfung machst. Das ist toll! Bist du nervös? Was musst du da denn genau machen? Hast du viel für die Prüfung geübt? Ach, das ist bestimmt gar nicht so schlimm! Du machst das schon! Ich wünsche dir viel Glück!

Viele Grüße

Junis

b Antworten Sie Junis auf seine Fragen. Diese Wörter helfen Ihnen:

müssen einen Brief schreiben | habe ich viel gelernt | bin etwas nervös | bin gar nicht aufgeregt | habe ich geübt | müssen in der Prüfung eine E-Mail schreiben | freue mich auf die Prüfung

Hallo Junis,

danke für deinen Brief! Also, ich muss einen Brief schrieben.

Wir haben viel gelernt und geübt, das ist nicht so einfach.

Natürlich bin ich nervös, hoffentlich klappt alles.

Sollen wir uns nach der Prüfung vielleicht treffen? Dann erzähle ich dir, wie es war.

Viele Grüße

…Amore……………………

→ Ein Beispiel für eine Lösung finden Sie im Internet unter www.klett.de/einfachschreiben.de

1 Viele Texte

A

Nadine, bitte Frau Müller (Firma Henkel) zurückrufen!
Ist heute bis 16 Uhr zu erreichen. Klaus

eine machricht

B

Start
Bestellservice
Mein Konto
Kontakt

Sie haben Interesse an weiteren Unterlagen oder Fragen zu unseren Produkten? Beschwerden oder Wünsche? Schreiben Sie einfach eine E-Mail an info@shop.de

Bestellnummer	Anzahl	Farbe	Größe	Preis
				€

☐ Ich möchte auch den neuen Katalog bestellen.

Kundennummer:
Name, Vorname:
Straße:
PLZ und Ort:
Land: Deutschland

abschicken | zurücksetzen

ein Bestell form

C

Von: Tamara Stumpfe
Betreff: Party

Liebe Sarah,
vielen Dank für deine Mail! Ich habe mich sehr über deine Einladung gefreut und komme gern zu deiner Party. Soll ich etwas mitbringen? Einen Salat oder Kuchen vielleicht? Ich könnte dir nach der Party auch helfen aufzuräumen, wenn du möchtest. Sag mir einfach Bescheid!
Viele Grüße
Tamara

eine E-Mail an eine Bekannte

D

Verkaufe Schrank,
3 Jahre alt, leider zu groß für meine neue Wohnung.
Preis: 250 Euro.
Bitte nur Selbstabholer!
schrank@info.com

eine Anzeige

E

Berlin, 15.4.2011

Sehr geehrte Frau Weiß,
ich habe in der Zeitung gelesen, dass Sie eine Verkäuferin für Ihr Schuhgeschäft suchen.
Ich habe über 10 Jahre Berufserfahrung als Verkä

ein Bewerbungs brief

1 | Was sind das für Texte? Finden Sie die Wörter und schreiben Sie sie zu den passenden Texten A bis E. Achten Sie auf Groß- und Kleinschreibung.

Briewz!nachrichtkoll-egnotizeteforMularoPzanzeigepäbiervE-mailekl,zhrqbrieFjmolus!tex

2 | Ergänzen Sie die passenden Wörter aus Aufgabe 1.

1. Ein Bekannter möchte etwas im Internet bestellen. Helfen Sie ihm, das form auszufüllen.
2. Sie haben bald Geburtstag und wollen feiern. Schreiben Sie Ihren Bekannten eine E-Mail ____________. passende Anrede: __________
3. Sie haben eine ____________ am Schwarzen Brett im Supermarkt gelesen. Der Schrank interessiert Sie. Schreiben Sie an den Anbieter und fragen Sie nach mehr Informationen. passende Anrede: __________
4. Ein Freund hat Ihnen folgenden ____________ geschrieben. Schreiben Sie eine Antwort. passende Anrede: __________

3 | Welche Anrede passt in 2–4 von Aufgabe 2? Du? Sie? Oder beides?

In der Prüfung *Start Deutsch* (Niveau A2) müssen Sie im Prüfungsteil *Schreiben* ein Formular ausfüllen und einen kurzen Brief schreiben. In den Prüfungen *Deutsch-Test für Zuwanderer* (Niveau A2/B1) und *Zertifikat Deutsch* (Niveau B1) schreiben Sie einen längeren Brief oder eine E-Mail. Es ist wichtig, dass Sie die passende Anrede auswählen (Du oder Sie) und sie auch im ganzen Brief oder der ganzen E-Mail benutzen. Dazu gehört auch der passende Gruß am Ende.

→ Mehr zu den Prüfungen finden Sie auf S. 58–64.

4 | Was passt zu welcher Anrede?

Lieber Chris, | Viele Grüße | Hallo Frau Schneider | Sehr geehrte Damen und Herren, | Können wir den Termin bitte verschieben? | Mit freundlichen Grüßen | Lieber Herr Wolf, | Tut mir leid, dass du krank bist! | Könnten Sie mir auch sagen, wie groß der Schrank ist? | Bitte geben Sie Jürgen Vogel die Hausaufgaben mit. | Gute Besserung! | Könntest du mir am 3.8. helfen? | Ich habe noch eine Frage an Sie.

Anrede mit Du: ____________________

____

____

Anrede mit Sie: ____________________

____

____

5 | Ideen finden

a Thema: Neue Nachbarn. Was fällt Ihnen dazu ein? Machen Sie Notizen. Sie haben eine Minute Zeit.

____

b Lesen Sie diese Aufgabe und ergänzen Sie unten.

> Sie sind umgezogen. Jetzt wollen Sie eine Party feiern und Ihre neuen Nachbarn einladen. Schreiben Sie einen Brief zu folgenden Punkten:
> • Grund für Ihr Schreiben? • Wann und wo? • Essen? • ...

Was ist der Grund für Ihr Schreiben?

Ich bin ______________. Ich möchte ______________.

c Was fällt Ihnen zu diesen Punkten ein? Machen Sie Notizen.

Wann und wo: ______________

Essen: ______________

6 | Ideen formulieren

a Schreiben Sie die Sätze richtig. Denken Sie an die Satzzeichen.

- [ ] 1. bin | Ich | gerade umgezogen — Ich bin gerade umgezogen
- [ ] 2. kaufe | Getränke | Ich — Ich kaufe Getränke
- [ ] 3. freue mich | auf Sie | Ich — Ich freue mich auf Sie
- [ ] 4. Die Party | statt | findet am 3.5. ab 18 Uhr — Die Party findet am 3.5 ab 18 Uhr statt
- [ ] 5. lade Sie | ein | Ich — Ich lade Sie ein
- [ ] 6. Ich | Pizza für alle | mache — Ich mache Pizza für alle
- [ ] 7. eine Party feiern | Ich | möchte — Ich möchte eine Party feiern

b Eine gute Reihenfolge: Was schreiben Sie zuerst, was dann? Nummerieren Sie die Sätze aus 6a.

7 | Sätze verbinden. Verbinden Sie die Sätze aus 6a mit diesen Wörtern. Denken Sie an die Satzzeichen.

1 + und + 7: ______________

7 + deshalb + 5: ______________

2 + außerdem + 6: ______________

8 | Welche Anrede und welcher Gruß passen zu dem Brief aus Übung 7?

Anrede: ______________ Gruß: ______________

Schreiben Sie den Brief jetzt komplett in Ihr Heft, mit Anrede, Gruß und Ihrer Unterschrift.

2 Einkaufen

1 | Thema Einkaufen: Wie viele Wörter fallen Ihnen ein? Schreiben Sie die Wörter auf. Sie haben eine Minute Zeit!

teuer, kaufen, Pullover, ____________________

____

____

2 | Sortieren Sie Ihre Wörter.

Nomen			Verb	Adjektiv
der/ein	**das/ein**	**die/eine**		
der/ein Pullover ...			kaufen	teuer

3 | Ergänzen Sie die Verben in der richtigen Zeitform.

1. kaufen: Gestern __________ ich ein neues Wörterbuch __________.
2. bezahlen: Meine Bekannte __________ beim Einkaufen meistens mit ihrer EC-Karte.
3. funktionieren: Meine Kaffeemaschine __________ schon wieder nicht, obwohl sie noch gar nicht alt ist!
4. zurückgeben: Letzte Woche __________ ich meinen neuen Fön __________, weil er viel zu laut war.
5. überweisen: Ich haben den Rechnungsbetrag schon vor einer Woche __________.

Schwer? Wiederholen Sie Präsens und Perfekt!

4 | Sie haben etwas bestellt. Heute kommt das Paket. Beschreiben Sie Ihre Bestellung.

Ich habe ______________________ bestellt.

__________ ist ______________________.

Bitte um Informationen

1 | Angebote

a Lesen Sie die Angebote: Welche Informationen finden Sie? Unterstreichen Sie in den Angeboten und notieren Sie.

A

Was? Waschmaschine

Preis? 299,00 Euro

Wie alt? keine Information

B

Was? ______

Preis? ______

Wie alt? ______

C

Fahrrad für Kinder zu verkaufen!
Guter Zustand!
Interesse?
fahrrad@supermail.eu

Was? ______

Preis? ______

Wie alt? ______

D

7 Jahre alt, aber gut – und super-günstig!
Fragen?
info@ihr-pc-spezialist.eu

Was? ______

Preis? ______

Wie alt? ______

b Sie wollen diese Produkte vielleicht kaufen. Das möchten Sie vorher vom Verkäufer wissen: Wie ist …?

-and- -st- Zu- | ran- Ga- -ti- -e | Fa- -be -r- | -r- -ke Ma- | -ten -san- -kos- Ver- -d- | -er- -t Lief- -zei-

der Zustand : état die Garantie die Versandkosten : frais expédition

die Farbe die Marke die Lieferzeit

Was noch? ______

Schreiben Sie diesen Satz mit den Worten aus 1b.

Ich habe noch eine Frage zur Garantie.

Achtung: zu + Dativ!

2 | Wie fragen Sie nach diesen Informationen? Ergänzen Sie die Fragen. Haben Sie noch eine eigene Idee?

1. Farbe: Welche Farbe hat das Fahrrad?
   Haben Sie diesen Pullover auch in grün?
   ____
2. Lieferung: Wann können Sie liefern?
   ________ Sie auch oder ist das Angebot nur für Selbstabholer?
   ____
3. Preis: ________ kostet der Computer?
   ________ der Preis Verhandlungssache?
   ____
4. Garantie: ________ hat die Kaffeemaschine noch Garantie?
   ________ die Kaffeemaschine noch Garantie?
   ____
5. Marke: Von ________ Marke ist das Gerät?
   ________ das Gerät von Milonex?
   ____

Schwer? Wiederholen Sie W-Fragen und Ja/Nein-Fragen.

3 | Schreiben Sie Fragen zu diesen Produkten.

Holz, 50 Euro.
k.pintero@mail.com

Melden Sie sich unter 016?5/88?6555.

Verkaufe gut erhaltene Kinderkleidung, Größe 1? – 16 und Spielzeug.
familie_schulz.@web.de

Schöne alte Standuhr von 1830 günstig!

______________________ ______________________
______________________ ______________________
______________________ ______________________

4 | Elegant fragen

a Welche Verben fehlen hier?

interessiert | habe | wissen | sagen | würde

1. Ich möchte gern ____________________, …
2. Ich ____________________ gerne wissen, …
3. Können Sie mir ____________________, …
4. Mich ____________________, …
5. Ich ____________________ noch eine Frage.

b Wie gehen diese Fragen weiter? Kreuzen Sie an.

1. Ich möchte gern wissen,
   - ☐ liefern Sie die Waschmaschine auch?
   - ☐ ob Sie die Waschmaschine auch liefern?
   - ☐ wann Sie die Waschmaschine liefern?
2. Können Sie mir sagen,
   - ☐ ob der Fernseher noch Garantie hat?
   - ☐ wie alt ist der Fernseher?
   - ☐ wie alt der Fernseher ist?

Schwer? Wiederholen Sie indirekte Fragen.

5 | Zwei Fragen zu jedem Produkt. Sortieren Sie die Satzteile.

1. Kinderfahrrad: Farbe? Lieferung?

Können Sie mir | welche Farbe | das Fahrrad | Eine Frage habe | das Kinderfahrrad hat. | ich noch: | gern wissen, | Ich möchte | auch schicken?

____

____

2. Computer: Preis? Zustand?

Zustand der | Können Sie | was der | mir sagen, | Mich interessiert, | Computer ist? | Computer kostet. | in welchem

____

____

3. ____________ : ____________ ? ____________ ?

____

____

____

6 | Wo haben Sie die Produkte gesehen?

am | Auf | Auf | im | im | im | im | In | In | in | in | in | in

1. Ich habe ein schönes Sofa ________ Internet gesehen.
2. ________ Ihrem Katalog habe ich die Waschmaschine Eco X 90 gesehen.
3. Meine Bekannte hat ________ Ihrer Werbung Pullover im Angebot gesehen.
4. Ich habe Ihre Werbung ________ Radio gehört.
5. ________ einer Seite ________ Internet habe ich Ihr Angebot gelesen.
6. ________ einer Kleinanzeige ________ der Zeitung habe ich Ihr Angebot gelesen.
7. Ich habe ________ Ihrem Prospekt gesehen, dass Sie günstige Kleidung verkaufen.
8. Wir haben Ihr Angebot ________ Schwarzen Brett ________ Supermarkt gesehen.
9. ________ Ihrer Homepage schreiben Sie, dass es diese Woche Rabatt auf Lampen gibt.
10. Wir haben Ihre Anzeige ________ der Zeitschrift „Deutsch Perfekt" gelesen.

Schwer? Wiederholen Sie Ortsangaben mit Präpositionen.

7 | Wo haben Sie die Angebote von Seite 10 gesehen? Schreiben Sie eigene Sätze.

A ________________________ B ________________________

C ________________________ D ________________________

8 | Das Produkt gefällt Ihnen. Wie schreiben Sie das?

Ich habe Ihre Anzeige gesehen. …

1. Die Waschmaschine | mich | sehr | interessiert
   Die Waschmaschine interessiert mich sehr.
2. das Kinderfahrrad | Mir | sehr | gefällt | gut
   ____
3. Ihr Angebot | mich | interessiert | sehr
   ____
4. finde | Das Angebot | interessant | ich | sehr
   ____

9 | Was schreiben Sie, wenn Sie noch Fragen haben? Achten Sie auf Groß- und Kleinschreibung!

Ihre Waschmaschine gefällt mir gut.

Aberichhabenocheinpaarfragen. Aber ich habe noch ein paar Fragen.

Allerdingshabeichnochfragen. ________________________

Aberichbrauchenocheinpaarinformationen. ________________________

Ichbraucheallerdingsnochmehrinformationen. ________________________

Nach dem Kauf

1 | Post für Herrn Müller

Kaufhaus Alles Günstig!
Postfach 2012 · 14097 Berlin

Herrn
Rolf Müller
Seestr. 178
20987 Lübeck

03.04.20...

Ihre Bestellung vom 12.04.20..., Rechnungsnummer x-23-33458

Sehr geehrter Herr Müller,

vielen Dank für Ihre Bestellung von 100 Flaschen „Shampoo spezial für extra schöne Haare"!

Artikel	Einzelpreis	Stückzahl	Summe
Shampoo spezial	2,99 Euro	100	299,00 Euro
zzgl. Porto / Verpackung			5,00 Euro
			304,00 Euro
zzgl. 19% Mehrwertsteuer			57,76 Euro
Gesamtbetrag			**361,76 Euro**

Bitte überweisen Sie den Gesamtbetrag bis zum 30.04. auf unser Konto:
Alles Günstig AG, Kontonummer 987 654 000, BLZ 321 000 321, Berliner Anlagebank.

Mit freundlichen Grüßen

Bernd Böse

Kaufhaus
Alles Günstig!

Überweisung
Meine Bank
Privat- und Geschäftskunden AG

5 9 2 6 2 4 3 1
Bankleitzahl

Bitte möglichst in >GROSSBUCHSTABEN< ausfüllen.

Begünstigter: Name, Vorname/Firma (max. 27 Stellen)

Konto-Nr. des Begünstigten

Bankleitzahl

Kreditinstitut des Begünstigten

EUR

Betrag: Euro, Cent

Kunden-Referenznummer – Verwendungszweck, ggf. Name und Anschrift des Überweisenden – (nur für Begünstigten)

noch Verwendungszweck, (insgesamt max. 2 Zeilen à 27 Stellen)

Bitte ankreuzen, wenn Anschrift weitergegeben werden soll

Kontoinhaber/Einzahler: Name, Vorname/Firma/Ort
ROLF MÜLLER

Konto-Nr. des Kontoinhabers
1 6 1 5 4 2 6

Ausführungsdatum TTMMJJ

Bitte nur bei Terminwunsch (min.2/max.60 Tage) angeben. Bei der Angabe eines Wochenendes/(Bank-)Feiertags erfolgt die Ausführung am darauf folgenden Bankgeschäftstag.

24

002 02150 00 03 04

Datum, Unterschrift

a Was hat Herr Müller bekommen?

Herr Müller hat ☐ eine Rechnung ☐ eine Beschwerde ☐ eine Überweisung bekommen.

b Was kann man damit machen? Ergänzen Sie die passenden Verben.

ausfüllen | schreiben | bezahlen | überweisen | zurückschicken | wegwerfen

1. Eine Rechnung kann man ______________________________
2. Eine Überweisung ______________________________
3. Den Rechnungsbetrag ______________________________

c Ergänzen Sie die passenden Verben aus 1b in der richtigen Zeitform.

1. Die Überweisung ______________ ich schon ______________.
2. Das Geld ______________ ich noch nicht ______________.

d Herr Müller füllt die Überweisung auf Seite 14 aus. Helfen Sie ihm.

Verwendungszweck bedeutet: Wofür überweisen Sie das Geld? Das ist oft eine Nummer, z. B. die Kundennummer, Rechnungsnummer oder Wörter wie Miete, Kursgebühren Deutsch 3, …

Eine Beschwerde schreiben

1 | Wenn Herr Müller gar kein Shampoo bestellt hat, muss er sich beschweren. Hier ist der Beschwerdebrief von Herrn Müller. Ergänzen Sie die Wörter. Achtung: Nicht alle Wörter passen.

zurückschicken | antworten | ein | fragen | bekomme | schreibe | keine | nicht | kein | nichts | bestellen | sende

16.05.20...

Beschwerde

Sehr geehrter Herr Böse,

vor drei Wochen habe ich bei Ihnen ein Kochbuch bestellt. Gestern habe ich endlich ein Paket von Ihnen bekommen. Aber leider war __________ Kochbuch in dem Paket, sondern Shampoo! Dieses Shampoo brauche ich überhaupt __________, weil ich gar ____________ Haare mehr habe!

Ich möchte wissen, was ich jetzt mit dem Shampoo machen soll. Kann ich es ___________?

Und wann ___________ ich endlich mein Kochbuch? Bitte ______________ Sie mir schnell.

Vielen Dank.

Mit freundlichen Grüßen

Rolf Müller

2 | Warum kann man sich beschweren? Was kann falsch sein? Sortieren Sie und ergänzen Sie eigene Ideen.

zu klein | kaputt | falsch | passt nicht | nicht neu | schmutzig | zu teuer | funktioniert nicht | nicht komplett

Größe: ______________ Preis: ______________

Farbe: ______________ Zustand: ______________

______________: ______________

3 | Fehlt hier eine Endung? Ergänzen Sie.

1. Thomas hat einen schwarz__ Rucksack bestellt, aber er hat einen blau__ Rucksack bekommen.
2. In Ihrer Anzeige stand: „Neu__ Schuhe zu verkaufen." Diese Schuhe sind aber nicht neu__ .
3. Heute habe ich die bestellt__ Uhr bekommen. Sie ist kaputt__! Eine kaputt__ Uhr brauche ich nicht, deshalb schicke ich sie zurück.
4. Ich werde mich über den unfreundlich__ Verkäufer beschweren. Er wollte meine einfach__ Fragen nicht beantworten.
5. Wir hatten nur eine klein__ Bestellung aufgegeben. Trotzdem haben wir gestern ein groß__ Paket und eine hoh__ Rechnung bekommen.

Wiederholen Sie die Adjektivdeklination.

4 | Maria hat einen Pullover bestellt. Was ist hier passiert? Machen Sie Notizen.

Pullover

Alle Artikelinformationen »

Größe 38 | Artikelnr. 2057

Farbe rot | Menge 1

Gesamtpreis

12,99 € Lieferzeit 3 Tage

Alle Preise in Euro (€) inkl. gesetzlicher MwSt., versandkostenfrei

In den Warenkorb »

Rechnungsnummer: 17.4.2010.345

Artikel	Menge	Summe
Bluse Farbe: Blau Größe: 34	1	
Preis:		€ 15,99
zzgl. Versandkosten		€ 4,90
		€ 20,89

5 | Maria beschwert sich. Schreiben Sie die Sätze richtig.

1. einen | roten | bestellt | Maria | Pullover | hat

   ____

2. viel | zu | hoch | auch | noch | ist | die | Rechnung

   ____

3. aber | eine | Bluse | blaue | sie | hat | bekommen

   ____

4. sie | den | Pullover | Außerdem | wollte | 38 | in | der | Größe

   ____

Schreiben Sie die Sätze in der richtigen Reihenfolge in Ihr Heft.

6 | Was möchte Maria jetzt?

a Ergänzen Sie die Verben in der richtigen Form.

wollen | zurückschicken | haben | bezahlen

1. Maria möchte die blaue Bluse ______________.
2. Sie möchte endlich ihren roten Pullover ______________.
3. Maria __________ die blaue Bluse nicht, sondern ______________ ihr Geld zurück.

b Schreiben Sie die Sätze in der Ich-Form.

____

____

7 | Was kann man noch sagen?

1. Ich will, dass Sie mir mein Geld zurückgeben. Geben Sie mir bitte mein Geld zurück.
2. Ich möchte, dass Sie mir schnell antworten! ______________
3. Ich möchte, dass Sie das Geld sofort überweisen. ______________
4. Ich will, dass Sie mich morgen anrufen. ______________
5. Ich möchte, dass Sie mir ein neues Handy schicken. ______________

Schwer? Wiederholen Sie den Imperativ.
Benutzen Sie „bitte", das ist höflicher!

Wenn …, dann … Schreiben Sie Sätze in Ihr Heft.

Beispiel: Wenn Sie nicht antworten, dann gehe ich zu einem Anwalt.

ich – bekommen – keinen neuen Pullover || ich – gehen – zum Verbraucherschutz

Sie – haben – keinen anderen Pullover || Sie – überweisen – mein Geld bitte zurück

Sie – nicht umtauschen – die kaputte Kaffeemaschine || ich mich – beschweren – bei Ihrem Chef

Ihre Bitte um mehr Informationen

Wählen Sie ein Produkt von Seite 10 aus. Schreiben Sie eine kurze E-Mail an den Anbieter und bitten Sie um mehr Informationen. Schreiben Sie einen oder zwei Sätze zu folgenden Punkten:
• wo gesehen? • Interesse? • mehr Informationen?

Sehr geehrte Damen und Herren,

____

____

____

____

____

Vielen Dank im Voraus für Ihre Antwort!
Mit freundlichen Grüßen

....

Unterschreiben Sie die Briefe mit Ihrem kompletten Namen!

Ihre Beschwerde

Sie haben ein Deutschbuch für 12,90 Euro bestellt. Heute haben Sie ein Paket bekommen – mit einem Englischbuch für 24,90 Euro. Sie schreiben eine Beschwerde.
Schreiben Sie etwas zu folgenden Punkten:
• Was haben Sie bestellt? • Was ist das Problem? • Was wollen Sie?

Sehr geehrte Damen und Herren,

____

____

____

____

____

Mit freundlichen Grüßen

....

3 Kinder, Kinder

1 | Von Kindern erzählen

a Was machen Kinder gern oder nicht so gern? Schreiben Sie die Wörter richtig.

gabsaufHauen mahcen | isE snese | eTe rnkietn | ine uzPzle eamhcn | splieen | uräeaufmn | edn terEln lehefn | cnah drßaeun hgeen | sihc mit dunenFre fterfen | nsi inKo ehegn | ni die culhSe ehgen | ni dne iKndtraergen hgeen | neei Asbiulngu amhcen | ziPza sesne | bOts esesn | loaC rntiken | mi nlnteret ursfen | nie nstrlument pies-len | Engschil nenler | usiMk renhö | Bcherü leens

gern ☺	nicht so gern ☹
Eis essen	

b Was machen Ihre Kinder, Enkel, Neffen, … gern oder nicht so gern?

Beispiel: Meine Tochter isst gern Eis. / Mein Sohn isst nicht so gern Pizza.

c Wann oder wie oft machen Kinder das? Schreiben Sie neue Sätze mit Zeitangaben.

jeden Tag | am Abend | mittags | am Montag/Dienstag/… | am Morgen | oft | manchmal | nie | einmal in der Woche | immer

Beispiel: Am Morgen trinkt meine Tochter Tee. / Sie macht jeden Tag ihre Hausaufgaben.

Schwer? Wenn der Satz mit einer Zeitangabe anfängt, steht zuerst das Verb und dann das Subjekt.

Rund um Kindergarten und Schule

1 | Bekannte von Ihnen möchten ihre kleine Tochter Jessica für den Kindergarten anmelden. Jessica wurde vor 2 Jahren in Osnabrück geboren. Sie soll ab dem 1. April nächsten Jahres in den Kindergarten gehen.

a Helfen Sie Ihren Bekannten das Formular auszufüllen. Hier sind ein paar Informationen:

Grün Harry und Tina Tannenweg 190 **0531** 7110987
Grün Valentin Annastraße 2c

Anmeldung	Kindergarten Sonnenschein
Nachname des Kindes:	
Vorname des Kindes:	
Geburtsdatum: 28. März	
Geburtsort:	
Besuch des Kindergartens ab:	
Namen und Anschrift der Eltern:	, Osnabrück
Telefonnummer der Eltern:	

2 | Sie brauchen Informationen zu einem Kindergarten.

a Schreiben Sie Fragen.

Wann haben | Gibt es bei Ihnen | Machen Sie | Haben Sie an Feiertagen | Wie hoch | immer geschlossen? | Machen die Kinder | bei Ihnen | Sie geöffnet? | Mittagsschlaf? | Mittagessen für die Kinder? | ~~Was gibt~~ | auch Ferien? | ~~es zu~~ essen? | sind die Gebühren pro Monat?

1. Öffnungszeiten: ____
2. Essen: Was gibt es zu essen? | ____
3. Mittagsschlaf: ____
4. Kosten: ____
5. Schließzeiten: ____

b Stellen Sie die Fragen aus 2a noch einmal. Beginnen Sie so:

Ich würde gern wissen, ... | Mich interessiert, ... | Können Sie mir bitte sagen, ...

Schwer? Wiederholen Sie indirekte Fragen. Mehr dazu auch auf S. 11–12.

3 | Sommerfest in der Schule: Wie können Sie helfen? Schreiben Sie Sätze.

✂--

Wir kommen mit ____ Personen und können

☐ Getränke mitbringen
☐ Kuchen und Snacks verkaufen
☐ den Grill aufbauen
☐ Tische abräumen
☐ das Buffet abbauen

Wir bringen Getränke mit.
____
____
____
____

Schreiben Sie noch einmal in Ihr Heft, was Sie machen möchten.
Schreiben Sie so:
Wir helfen, das Buffet ab**zu**bauen. (zu + Infinitv)

4 | Der Kindergarten feiert.

a Ergänzen Sie die fehlenden Wörter. Achtung: Nicht alle Wörter passen.

aber | deshalb | ob | oder | und | weil

Liebe Eltern,

unser Kindergarten „Sonnenschein" wird bald 10 Jahre alt ______ das wollen wir feiern! Am 10. August veranstalten wir ein großes Sommerfest. ______ wir noch Unterstützung brauchen, haben wir eine Frage: Haben Sie Zeit, uns beim Aufbauen oder Abbauen der Stände zu helfen ______ können Sie etwas mitbringen (Essen/Getränke)? Wir brauchen auch noch Helfer (Kuchenbuffet, Küche, ...). Bitte schreiben Sie uns kurz, ______ Sie kommen und wie Sie uns helfen können. Sie können auch gerne Freunde mitbringen! Für Musik und Spiele sorgen wir.

Viele Grüße
Irene Tal (Kindergartenleiterin)

b Antworten Sie dem Kindergarten. Schreiben Sie zu mindestens zwei Punkten:

• Getränke mitbringen (welche?) • Essen mitbringen (was?) • Stände aufbauen • andere Ideen?

____
____
____
____

Sie möchten mehrere Sachen machen? Nach Ihrem zweiten Hilfsangebot können Sie Ihre Sätze mit *außerdem, darüber hinaus* oder *zusätzlich* anfangen. Achten Sie auf die richtige Position des Verbs.

Wenn die Kinder krank sind

1 | Ihr Kind ist krank. Sie gehen zum Kinderarzt.

a Das sagt der Arzt. Wie heißen die markierten Wörter richtig?

Ihre Tochter hat ein bisschen **enuHst** und **fnSchupen** und einen roten Hals. Das ist aber nur eine leichte **entzHalsündung**. Sie sollte ein paar Tage zu **uaHes** bleiben und sich **ruhausen**. Ihre Tochter muss auch viel **slachfen** und sie sollte viel Tee oder **raWsse** trinken.

b Zu Hause schreiben Sie eine E-Mail an eine Bekannte/einen Bekannten und erzählen, was der Arzt gesagt hat. Beginnen Sie die Sätze so:

Der Arzt hat gesagt, dass *meine Tochter ein bisschen Husten und Schnupfen hat.* Er meint, dass ______________________

Er empfiehlt, dass ______________________

____

Außerdem ______________________

Schwer? Wiederholen Sie Nebensätze mit *dass*. Denken Sie an das Komma vor *dass*.

2 | Was sollten Kinder (nicht) machen, wenn sie krank sind?

a Sammeln Sie Tipps – Sie haben eine Minute Zeit.

nicht so viel Nintendo spielen, ______________________

____

b Die Tochter von Ihrem Bekannten ist krank. Schreiben Sie Tipps.

Lieber Tim,

Lili ist krank? Das tut mir leid. Aber ich habe ein paar Tipps für dich, die haben bei meinen Kindern gut geholfen! Lili sollte ______________________

Außerdem muss sie ______________________

Aber sie darf nicht ______________________

Vielleicht könnte Lili auch ______________________

Hoffentlich geht es ihr bald wieder besser!

Liebe Grüße

....

→ Mehr zu Kranksein und Tipps auch auf S. 42–43.

3 | Was ist, was war?

a Markieren Sie die Verben im Brief. Schreiben Sie die Sätze dann in der Vergangenheit (Präteritum oder Perfekt).

Mein Sohn ist krank.
Er hat einen ganz roten Hals und kann nicht sprechen. Der Arzt sagt, dass er eine ansteckende Angina hat. Er muss 3 Tage zu Hause bleiben und ein Antibiotikum nehmen.

Mein Sohn war krank. ______

______

______

______

______

War Ihr Kind oder das Kind von Bekannten auch schon einmal krank? Was hatte es? Schreiben Sie zwei oder drei Sätze.

b Ihre Tochter war krank. Sie schreiben eine Entschuldigung für die Schule. Bringen Sie die Sätze in die richtige Reihenfolge und schreiben Sie den Brief dann ab.

- ☐ Gab es gestern Hausaufgaben?
- ☐ Sie hatte starke Bauchschmerzen.
- ☐ Liebe Frau Schulz,
- ☐ Mit freundlichen Grüßen
- ☐ meine Tochter Nelli war leider krank.
- ☐ Können Sie meiner Tochter die Hausaufgaben bitte heute noch geben?
- ☐ Vielen Dank!

______

....

c Ergänzen Sie die Verben. Achtung: Die Modalverben stehen im Präteritum.

kommen … können | lernen … können | schlafen … müssen | gehen … müssen

Sehr geehrter Herr Meier,

leider ______ mein Sohn Niko gestern nicht zur Schule ______.

Wir ______ zum Arzt ______, weil Niko Kopfschmerzen hatte.

Heute ist alles wieder in Ordnung, aber da Niko gestern viel ______ ______, ______ er leider gar nicht für den Englisch-Test heute ______. Darf er den Test bitte an einem anderen Tag nachschreiben? Das wäre sehr nett von Ihnen.

Entschuldigen Sie bitte nochmals sein Fehlen und vielen Dank für Ihr Verständnis!

Mit freundlichen Grüßen

Carina Neuhaus

→ Mehr zu *eine Entschuldigung schreiben* auf S. 50.

Ihre Anfrage

Sie haben diese Anzeige in der Zeitung gelesen:
Sie wollen am Wochenende Sport machen und suchen eine Betreuung für Ihre Kinder (4 und 5 Jahre alt).
Schreiben Sie: Wann und warum brauchen Sie eine Kinderbetreuung? Was machen Ihre Kinder gern? Kosten?

Telefonisch unter 01375/858754 75.

Schülerin, 17 Jahre, passt auf Ihre Kinder auf. Interesse? E-Mail an: c.meyer@city.de

Sammle Goldmünzen! Höchstpreise!

Sehr geehrte Frau Meyer,

____

____

____

____

____

....

Unterschreiben Sie mit Ihrem Vor- und Nachnamen.

Ihre Entschuldigung

Ihr Kind konnte gestern nicht in die Schule, weil Sie mit ihm dringend zum Zahnarzt mussten. Schreiben Sie eine Entschuldigung an den Lehrer, Herrn Baum: Warum konnte Ihr Kind nicht in die Schule? Hausaufgaben? Eigene Idee?

______________________,

____

____

____

____

____

....

1 | Thema Wohnen

a Hier sind 27 Wörter versteckt. Finden und markieren Sie die Wörter.

A	S	Y	Q	U	A	D	R	A	T	M	E	T	E	R	R
G	T	E	A	E	R	E	N	O	V	I	E	R	E	N	Q
Z	O	I	F	L	U	R	V	E	R	M	I	E	T	E	R
I	C	N	R	I	T	K	L	E	I	N	G	P	Ü	A	E
M	K	Z	E	N	T	R	A	L	Ü	O	E	P	R	B	R
M	G	I	R	T	A	A	J	P	C	K	M	E	A	F	D
E	V	E	F	S	P	K	Ü	C	H	E	Ü	N	N	U	G
R	U	H	I	G	E	A	B	H	H	S	T	H	D	O	E
K	M	E	D	S	T	U	M	Z	U	G	L	A	U	T	S
E	Ö	N	I	W	E	T	D	A	R	E	I	U	Z	E	C
P	B	M	K	G	O	I	U	E	X	E	C	S	O	P	H
N	E	B	E	N	K	O	S	T	E	N	H	Ö	M	P	O
Ä	L	X	L	D	U	N	C	M	M	E	I	T	D	I	S
Q	V	L	L	B	E	S	H	E	I	Z	U	N	G	C	S
H	K	W	E	P	M	I	E	T	E	N	O	B	U	H	S
U	G	E	R	Ä	U	M	I	G	G	W	J	R	M	F	T

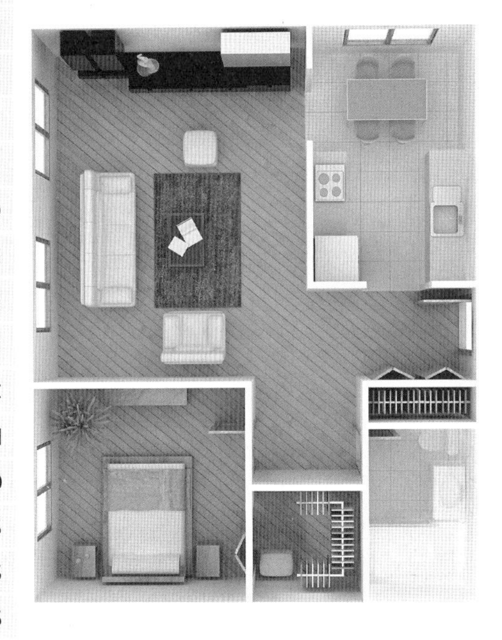

Zeichnen Sie eine Tabelle wie auf S. 9 in Ihr Heft und sortieren Sie die Wörter.

b Welche der Wörter aus 1a passen hier? Achten Sie auf Groß- und Kleinschreibung.

1. Können Sie mir sagen, wie hoch die ______________ sind? Mich interessiert auch noch, in welchem ______________ die Wohnung ist. Vielen Dank für Ihre Antwort.
2. Hallo Rudi, kannst du mir am nächsten Wochenende vielleicht beim ______________ helfen? Wir müssen die neue Wohnung auch noch tapezieren und streichen. Eine schöne ______________ habe ich schon gekauft.
3. Liebe Greta, ich habe endlich eine neue Wohnung! Sie liegt ______________, aber trotzdem ______________, die Autos hört man fast nicht. Sie hat 3 ______________ und ca. 75 ______________. Und ich kann schon nächsten Monat ______________. Toll, oder?
4. Gehört zu der Wohnung auch ein ______________, wo wir Sachen abstellen können?
5. Wir haben Probleme im Bad. Der Wasserdruck ist niedrig und die ______________ funktioniert nicht richtig.

Wohnungsangebote

1 | Abkürzungen

a Kennen Sie diese Abkürzungen?

ZKB: ____________-____________-____________ KM: ____________

WM: ____________ Kt.: ____________

b Lesen Sie die Anzeigen.
Was erfahren Sie über diese Wohnung?
Schreiben Sie die Abkürzungen aus.

Vormittags unter 01375/338/5285.

2,5 Zi., 70 qm, renov., 2. OG, ab sofort.
wohnung@immobiliensuche.de

Die Wohnung hat zweieinhalb ____________

und 70 ____________.

Sie ist ____________ und liegt im 2. ____________.

2 | Was wollen Sie noch über die Wohnung wissen?

a Ergänzen Sie die fehlenden Buchstaben und notieren Sie eigene Ideen.

G__rt__n? M__t__? N______k______en? G____age? L____g______?

____________? ____________? ____________?

Wiederholen Sie die wichtigen Wörter zum Thema immer mit dem Artikel.

b Wie fragen Sie nach den Informationen, die Ihnen fehlen?
Ergänzen Sie passende Wörter aus 2a und denken Sie an die passenden Artikel.

Hat die Wohnung ____________? Wie hoch ist ____________ und wie hoch sind ____________? Ich würde auch gerne wissen, ob zu der Wohnung ____________ gehört. Und ist ____________ zentral?

→ Mehr zu W-Fragen und Ja/Nein-Fragen z. B. S. 11.

Schreiben Sie Fragen zu den fehlenden Informationen, die Sie in Aufgabe 2a notiert haben.

c Schreiben Sie Fragen mit *welch-* oder *was für ein-*.

1. die Wohnung | hat | was für eine | ? | Heizung

____

2. Stock | ? | in welchem | die Wohnung | ist

____

3. Möbel | der Wohnung | ? | sind denn | was für | in

Sie schreiben, die Wohnung ist möbliert. ____________

4. ist | Bodenbelag | was für ein | und | im | Wohnzimmer?

____________ Teppichboden oder Laminat?

5. Straße | ? | in | die Wohnung | welcher | ist

____

3 | Wo findet man Wohnungsanzeigen? Markieren Sie den richtigen Artikel.

1. Ich habe Ihre Anzeige in der / die / den Zeitung gelesen.
2. Ihre Anzeige aus das / dem / der Internet interessiert mich sehr.
3. An die / der / Am Schwarzen Brett habe ich Ihre interessante Anzeige gefunden.

→ Mehr dazu finden Sie z. B. auf S. 13.

4 | Angaben zu Ihrer Person.

a Was ist für einen Vermieter vielleicht interessant? Kreuzen Sie an.

☐ Alter ☐ Kinder ☐ Herkunftsland ☐ Beruf ☐ Haustiere ☐ Familie

b Schreiben Sie diese Sätze richtig.

mit 3 Kindern | eine Familie | Wir | sind | (4, 8 und 10 Jahre alt).

____

sind berufstätig | Frau | Meine | und haben | und | ein gutes Einkommen. | ich

____

Wir | kleine | Katze. | eine | haben

____

Und wer sind Sie und Ihre Familie? Schreiben Sie Sätze in Ihr Heft.

5 | Um einen Besichtigungstermin bitten. Welche Wörter passen?

könnten | möchte | kann | können | will | könnte | darf | wäre | wollen | möchten | dürfen

1. ______________ ich mir die Wohnung vielleicht diese Woche noch ansehen?
2. ______________ wir einen Besichtigungstermin ausmachen? Sie erreichen mich unter der Telefonnummer 06205 / 9367552 oder unter der E-Mail-Adresse a.torres@jaahu.com.

6 | Ein guter Schluss. Schreiben Sie die drei versteckten Sätze richtig ab.
Achten Sie auf die Groß- und Kleinschreibung.

ichfreuemichaufihreantwortichwürdemichüberihreantwortsehrfreuenvielendankfürihreantwort

____

____

____

Stellen Sie sich vor: Sie möchten mit Ihrer Familie (zwei Kinder und ein Hund) umziehen. Sie möchten mehr Informationen zu der Wohnung in der Anzeige. Schreiben Sie eine E-Mail.

Wohnung im Zentrum! Mit Balkon und Garage. KM: 350 Euro. Weitere Infos unter wohnung@city.de, Grit Baum

Umziehen

1 | Thema Umziehen

a Hier sind 11 Wörter versteckt. Finden und markieren Sie diese Wörter.

OhaMöbeldolliGerätesweaplanenabeidWohnungqPuhoauspackenNaKartonseHauiöil
AdresStraAufzugiporenanschließenerEstausleihenVermkwUmzugiNaolptransportieren

b Sie brauchen Hilfe beim Umzug. Ergänzen Sie die passenden Wörter aus Aufgabe 1a.

Umzüge schnell und günstig! *Sie wollen umziehen und suchen Hilfe? Dann melden Sie sich bei uns: anfrage@top-umzuege.de*

Von: Svetlana Veshnowitz
Betreff: Ihre Anzeige

Sehr geehrte Damen und Herren,

in der Zeitung habe ich Ihre Anzeige gelesen. Ich ____________ gerade meinen ______________ und habe noch ein paar Fragen: Kann ich die Kartons für meine Sachen ______________ oder muss ich sie kaufen? In meinem Haus gibt es leider keinen ______________ und ich wohne im 4. Stock – ist das ein Problem? Ich habe auch ein paar große ______________ (Herd, Waschmaschine). Kostet es extra, wenn Sie die ______________? Können Sie den Herd in der neuen ______________ auch ______________? Und können Sie die Kartons in der neuen Wohnung auch ______________ oder muss ich das alleine machen? ____________ habe ich nicht so viele (nur ein Bett, zwei Schränke, Tische und Stühle). Wie viel kostet es, wenn Sie den Umzug machen? Vielen Dank für eine schnelle Antwort!

Mit freundlichen Grüßen
Svetlana Veshnowitz

2 | Die Umzugsfirma ist zu teuer, deshalb bitten Sie Ihre Freunde um Hilfe. Schreiben Sie zuerst Notizen zu folgenden Fragen:

Was brauchen Sie alles für den Umzug? ______________

____

Was haben Sie (nicht)? ______________

____

Wobei sollen Ihre Freunde helfen? ______________

____

Wann ist der Umzug? ______________

____

3 | Bitten formulieren

a Welches Wort passt am besten?

brauche | könntet | hilf | hilfst | hast | wären | kannst | wäre | helfen

1. ________ mir am nächsten Samstag doch bitte beim Umzug.
2. Du hast doch ein großes Auto. ________________ du das mitbringen?
3. ________ ihr mir beim Umzug ________? Das ________ total nett von euch.
4. Ich ________ dringend deine Hilfe! ________ du noch deine alten Umzugskartons?
5. Wir ________ dir sehr dankbar, wenn du uns am Mittwoch beim Renovieren ________.

→ Mehr zu höflichen Bitten finden Sie auch auf S. 37–38.

Schreiben Sie Bitten aus Ihren Notizen von Aufgabe 2.

4 | Schreiben Sie an Freunde. Wie ist die passende Anrede? Ordnen Sie zu. Es gibt viele Möglichkeiten. Eine Anrede passt nicht.

Lieber | Hallo | Liebe | Meine | Sehr geehrte	Sara | Tom und Ulli | Robin | Freunde | Lieben

____

____

____

____

5 | Schreiben Sie das Verb in Klammern in der richtigen Form.

Lieber Tom und liebe Ulli,

endlich habe ich eine neue Wohnung gefunden! Am Samstag, dem 29.3. will ich umziehen. ________________ (können) ihr mir vielleicht helfen? Das wäre sehr nett von euch. Ihr ________________ (dürfen) euch aussuchen: ________________ (wollen) ihr lieber Kartons tragen oder Möbel in der neuen Wohnung aufbauen? ☺

Und noch eine Frage: ______________ (haben) ihr vielleicht noch Umzugskartons? Oder Zeitungspapier, um das Geschirr einzupacken? Bitte sagt mir schnell Bescheid, ob ihr mir ________________ (helfen). Ich danke euch schon mal ganz herzlich!

Liebe Grüße

Kim

Schreiben Sie diesen Brief an Ihre Freundin Yolanda (Du-Form) oder an Ihren guten Kollegen, Herrn Marol (Sie-Form).

Ein Brief an den Vermieter

1 | Welche Probleme kann es in der Wohnung geben?

a Was passt zusammen? Notieren Sie und ergänzen Sie, wo nötig, den Artikel.

Haustür | Abfluss | Heizung | Wasser | Toilettenspülung | Nachbarn | Fenster	geht nicht zu | klemmt | bleibt kalt | ist verstopft | funktioniert nicht | sind immer zu laut | wird nicht warm	Die Heizung bleibt kalt.

b Was haben Sie schon gemacht?

1. Ich _______ den Abfluss schon _______ (sauber machen), aber das hilft nichts. Können Sie bitte bald den Klempner bestellen?
2. Ich _______ schon mehrmals _______ (mit den Nachbarn sprechen), aber sie sind nicht leiser. Bitte sprechen Sie doch mal mit den Nachbarn.
3. Ich _______ (alles probiert haben), aber das Problem besteht weiter. Bitte kümmern Sie sich schnell darum.

Es ist Winter, aber Ihre Heizung geht nicht. Sie schreiben Ihrem Vermieter. Schreiben Sie die Sätze in der richtigen Reihenfolge ab. Vergessen Sie nicht die passende Anrede und Ihre Unterschrift.

Danach habe ich es noch mal versucht, aber ohne Erfolg.

Bitte schicken Sie schnell jemanden, der die Heizung repariert.

Vielen Dank im Voraus!

Sie können mich auch telefonisch erreichen unter der Nummer 01307/9870554.

Das geht natürlich nicht. Wenn die Heizung nicht funktioniert, werde ich krank.

die Heizung in meiner Wohnung funktioniert nicht.

Mit freundlichen Grüßen

Ich wollte sie gestern anmachen, aber sie bleibt ganz kalt.

Über die eigene Wohnung schreiben

1 | Ein Bekannter schreibt Ihnen eine E-Mail.
a Ergänzen Sie die passenden Wörter.

Wie | aber | Wie viele | dass | Welche | und

Von: Robert Schall
Betreff: Hilfe beim Umzug

Liebe/r …,

stell dir vor, ich ziehe nächste Woche um! Meine neue Wohnung ist sehr geräumig und hell. Sie hat 3 Zimmer ________ sogar einen Balkon. Ich bin wirklich glücklich darüber, ________ ich diese tolle Wohnung gefunden habe. Du bist doch vor ein paar Monaten auch umgezogen. _____ wohnst du jetzt eigentlich? ________ Zimmer hat deine Wohnung? ________ Farbe haben die Wände in deiner Küche? Ich würde die Wände ja am liebsten blau streichen, ________ ich bin noch nicht sicher. Schreib mal wieder!

Viele Grüße

Robert

b Markieren Sie die Fragen in Roberts Brief. Was können Sie ihm antworten? Schreiben Sie komplette Sätze.

1. im Erdgeschoss | sehr praktisch ________________
2. zwei Zimmer | aber | keinen Balkon ________________
3. Küche | Wände gelb gestrichen | gefällt gut ________________

Schreiben Sie Robert über Ihre eigene Wohnung. Denken Sie an Anrede, Gruß und Unterschrift!

2 | Wünsche und Träume. Ergänzen Sie die passende Form von *sein* und *haben* im Konjunktiv II.

1. Ich habe eine kleine Wohnung. Ich __________ gerne eine größere Wohnung.
2. Meine Wohnung ist schön, aber mit einem Balkon __________ sie noch schöner.
3. Es __________ toll, wenn wir eine hellere Wohnung __________.
4. __________ du nicht auch gerne ein großes Badezimmer?

Schwer? Wiederholen Sie den Konjunktiv II für *sein* und *haben*.

3 | Eine Traumwohnung. Ergänzen Sie die Adjektivendungen.

1. Wenn ich eine groß__ Wohnung hätte, würde ich einen groß__ Esstisch kaufen.
2. Wenn ich reich wäre, würde ich eine toll__ Küche mit modern__ Geräten kaufen.
3. In meiner Traumwohnung würde ich teur__ Bilder an die Wand hängen.
4. Ins Wohnzimmer würde ich ein schön__ Sofa und einen groß__ Fernseher stellen.

Schwer? Wiederholen Sie die Adjektivdeklination.

Wie sieht Ihre Traumwohnung aus? Schreiben Sie in Ihr Heft.

Ihre Bitte um Informationen

Sie haben diese Wohnungsanzeige gesehen und möchten mehr Informationen. Schreiben Sie eine E-Mail. Denken Sie an folgende Punkte: Warum schreiben Sie die E-Mail? Was möchten Sie über die Wohnung wissen? Wer sind Sie? Bedanken Sie sich schon einmal für die Antwort.

Telefon abends 0189/365285.

3,5 Zimmer, gute Ausstattung, kein Balkon, 400 €.
✉ Chiffre 42765,
Rüdesheimer Tageblatt

Von:
Betreff:

____

____

____

____

____

____

....

Chiffre: Sie schreiben an die Zeitung und die Zeitung schickt den Brief an den richtigen Empfänger weiter. Benutzen Sie die Anrede „Sehr geehrte Damen und Herren".

Ihre E-Mail an den Vermieter

Ihre Wohnungstür ist kaputt. Sie können die Tür nicht mehr abschließen. Sie schreiben eine E-Mail an Ihren Vermieter, Herrn Turm. Schreiben Sie: Was ist das Problem? Was soll Herr Turm machen? Wann soll er das machen? Denken Sie auch an einen guten Satz am Schluss, Anrede, Gruß und Ihre Unterschrift.

Von:
Betreff:

____

____

____

____

____

____

____

....

Lesen Sie Ihre E-Mails noch einmal und achten Sie auf die Satzzeichen (Punkt, Komma, Fragezeichen, ...). Sind alle da?

1 | Wie heißen diese Wörter richtig?

a Zeichnen Sie eine Tabelle wie auf S. 9 in Ihr Heft und sortieren Sie die Wörter.

scih beenwerb | fliigße | Bezungalh | Arbeiteitzs | pntlichük | Ausunbildg | Errungfah | abeitner | hfeC | Klegeoln | zuversigläs | Zenisug | gellenbotanSte | Teilztie | ortlichden | werBeungb | vertentre | Sprachntniskense | rlUbau

b Ergänzen Sie passende Wörter aus Aufgabe 1a. Nicht alle Wörter passen. Manchmal müssen Sie die Wörter etwas ändern.

A

Von: Niklas Promnitz
Betreff: Bitte

Liebe Angela,

ich muss nächsten Freitag ________________ nehmen, weil ich einen wichtigen Termin habe. Könntest du mich bitte ________________? Das wäre sehr nett!

B

________________ als Köchin,

Ihre Anzeige vom 12.3. in der Tageszeitung

Sehr geehrte Damen und Herren,

Ihr ________________ interessiert mich sehr, deshalb möchte ich mich ________________.

In meiner Heimat Bosnien habe ich eine ________________ zur Köchin gemacht und dann 5 Jahre in einem Restaurant ________________. Seit zwei Jahren bin ich in Deutschland und habe auch hier ________________ in der Gastronomie gesammelt.

C

Assistenz (m/w)

in ________________ (30 Std/Woche) gesucht, mit guten ________________ in Englisch und mindestens 2 Jahren ________________.

Bewerbung inklusive ________________

an J. Kempf-Schröder,
Kanzlei Schröder & Sohn,
Schulstraße 4, 68199 Mannheim

D

Von: Anja Weber
Betreff: Termin morgen

Liebe ________________,

morgen haben wir um 10 Uhr einen Termin bei unserem ________________.

Wir müssen die Pläne für das nächste Jahr besprechen. Bitte seien Sie alle ________________ um 10 Uhr im Büro A212.

Anja Weber

Arbeitssuche und Bewerbung

1 | Wir suchen …

a Wo haben Sie von der freien Stelle erfahren? Ergänzen Sie die Sätze. Achtung: Nicht alle Wörter passen hier.

auf | von | in der | für | für | bei der | als | als | im | in | von der | in der

1. Ihre Stellenanzeige ___________ Tagespost vom 24.2. interessiert mich sehr.
2. Frau Grün ___________ Agentur für Arbeit hat mir gesagt, dass Sie neue Mitarbeiter suchen.
3. Ich habe Ihren Zettel ___________ Café „Zum Altmarkt" gesehen. Suchen Sie immer noch eine Aushilfe? Dann würde ich mich gerne bei Ihnen vorstellen.
4. ___________ Ihrem Mitarbeiter Karl Mikoviz weiß ich, dass Sie eine freie Stelle im Lager haben.

b Wo kann man noch Stellenanzeigen finden? Überlegen Sie und schreiben Sie ähnliche Sätze.

____

____

____

c Ergänzen Sie die passenden Wörter aus dem Kasten von 1a.

1. Ich bewerbe mich ___________ Ihre Anzeige. | ___________ Verkäuferin. | ___________ diese Stelle.
2. Ich interessiere mich ___________ diese Arbeit und habe Berufserfahrung ___________ dem Bereich.
3. Ich habe schon ___________ Taxifahrer | ___________ Firma Schwarz | ___________ Küche gearbeitet.

2 | Sie bewerben sich auf diese Anzeige. Schreiben Sie den Anfang: Betreff, Anrede, wo Sie die Anzeige gesehen haben und warum Sie schreiben.

Verkäufer/Verkäuferin gesucht!
(Teilzeit, 25 Std/Woche)
Sie haben Berufserfahrung, sind zuverlässig, arbeiten gerne mit Menschen und sind auch bei Stress immer freundlich? Dann freuen wir uns auf Ihre Bewerbung, gerne per E-Mail:
LiDiPen Supermarkt, Karina Gockl,
Seeburgstraße 77-79, 67556 Kelsbach

Bewerbung ___________

___________,

____

____

____

____

Sie bewerben sich auf die Anzeige von S. 33. Schreiben Sie die ersten Sätze.

3 | Berufserfahrung und Qualifikation

a Lesen Sie die Bewerbung von S. 33. Was schreibt die Person über ihre Qualifikationen? Ergänzen Sie die Wörter.

In meiner Heimat Bosnien ___________ ich eine ___________ zur Köchin ___________.

Dann ___________ ich über 5 Jahre in einem Restaurant ___________.

Auch in Deutschland ___________ ich ___________ in der Gastronomie ___________.

b Was passt zusammen? Schreiben Sie diese Verben dann auch in der Vergangenheitsform.

einen Schulabschluss | ein Praktikum | nach Deutschland | ein Zeugnis | Deutsch | arbeitslos | um meine Kinder | Hausfrau / Hausmann | an der Universität | Arbeit

machen bei | sein | lernen | bekommen | kümmern | sein | studieren | suchen | machen | kommen

Arbeit suchen – ich habe Arbeit gesucht

c Und was haben Sie gemacht? Notieren Sie.

4 | Wann war das?

a Ergänzen Sie die fehlenden Zeitangaben mit Hilfe der Notizen und die passenden Verben aus Aufgabe 3b.

1994 – 1997: Schlosser bei Siemens in Kairo
vor 5 Jahren: Umzug nach Deutschland
1 Jahr Deutschkurse, arbeitssuchend,
seit März Fortbildung

1994 habe ich die Schule abgeschlossen. Danach ______ ich als Schlosser bei Siemens in Kairo ______. ______ bin ich nach Deutschland gekommen. Zuerst ______ ich einen Deutschkurs ______, anschließend ______ ich Arbeit ______, aber leider keine Stelle gefunden. ______ mache ich eine Fortbildung zum Anlagenbauer, die nächste Woche endet. Dann könnte ich bei Ihnen arbeiten.

b Markieren Sie alle Zeitangaben in 4a.

Schwer? Üben Sie Sätze mit Zeitangaben. Achten Sie auf die Stellung des Verbs, wenn der Satz mit einer Zeitangabe anfängt.

c Wann haben Sie gemacht, was Sie in Aufgabe 3c notiert haben?
Ergänzen Sie Zeitangaben in Ihren Notizen und schreiben Sie dann komplette Sätze.

5 | Sie bewerben sich als Krankenschwester oder Krankenpfleger.

a Wie sollten Sie für diesen Beruf sein? Was sollten Sie gut können? Was ist nicht so wichtig? Kreuzen Sie an.

☐ mit dem Computer arbeiten ☐ hübsch ☐ zuhören

☐ freundlich ☐ rechnen ☐ mit Menschen arbeiten

☐ zuverlässig ☐ gut Deutsch sprechen ☐ gut qualifiziert

b Ergänzen Sie passende Wörter aus 5a.

Ich bin sowohl ________________ als auch ____________

und ____________. Darüber hinaus ____________ ich sehr

gern ________________________. Außerdem kann

ich ____________ und ____________.

Mit diesen Wörtern können Sie mehrere Eigenschaften oder Tätigkeiten verbinden: *und, sowie, darüber hinaus, sowohl … als auch …*

c Was sind Sie von Beruf? Wie sind Sie und was können Sie gut? Schreiben Sie ähnliche Sätze wie in 5b.

____

____

____

6 | Eine neue Arbeit:

a Was möchten Sie gern wissen?

Nur vormittags 0249/3633285.

Sie suchen Arbeit? Dann schreiben Sie eine Mail an totalseriös@arbeitsangebote.eu

Suche Teilzeitstelle!

Welche | wie viel | Was für | wann | wie viele

1. ____________ eine Arbeit ist das und ____________ Aufgaben hat man?
2. Mich interessiert, ____________ Stunden man arbeitet und ____________ Geld man pro Monat bekommt? Und ab ____________ suchen Sie jemanden?

Schreiben Sie W-Fragen zu folgenden Punkten: Urlaub, Verdienst, Arbeitszeit, …

b Bilden Sie Fragen mit den folgenden Satzteilen.

→ Mehr zu Fragen finden Sie z. B. auf S. 11, 12 und 20.

1. eine Teilzeitstelle? | eine Vollzeitstelle | oder | Ist es

____

2. befristet ist? | die Stelle | mir sagen, ob | Können Sie

____

3. arbeiten? | auch | Muss | am Abend oder Wochenende | man

____

Schreiben Sie Fragen zur Anzeige auf S. 33.

Hilfe am Arbeitsplatz

1 | Warum muss Ihnen eine Kollegin oder ein Kollege helfen? Schreiben Sie die Sätze fertig.

Urlaub haben | einen wichtigen Termin haben | krank sein | zu viel Arbeit haben

1. Ich bin am Donnerstag nicht da, weil ______________________________
2. Ich kann morgen nicht zur Arbeit kommen, weil ______________________________
3. Weil ______________________________, muss ich unseren Termin leider verschieben.

Schwer? In Nebensätzen mit *weil* steht das konjugierte Verb am Ende.

2 | Kannst du mir bitte helfen? Wie kann man noch sagen?

1. einen | tun | Gefallen | Könntest | du | mir | ? ______________________________
2. eine | große | Bitte | Ich | an | dich | habe | . ______________________________

3 | Was soll Ihre Kollegin / Ihr Kollege für Sie machen? Notieren Sie.

mich für heute | die Post | teilnehmen | für mich an der Besprechung | lesen | Herrn Müller | meine E-Mails | Frau Liu vom Flughafen | vertreten | meine Termine | gießen | abholen | die Pflanzen im Büro | absagen | anrufen | beantworten

____

____

____

Sie sind Verkäuferin. Welche Aufgaben soll Ihre Kollegin für Sie übernehmen?

4 | Herr Jacobs, Hausmeister bei der Firma Conrad, bittet seinen Kollegen Juan Cazal um Hilfe. Nummerieren Sie die Sätze in der richtigen Reihenfolge.

Lieber Herr Cazal,

- ☐ Das wäre ganz toll. Vielen Dank schon im Voraus.
- ☐ Ach ja, und könnten Sie bitte den Grill aufbauen?
- ☐ Vielleicht könnten Sie schon am Dienstag Getränke einkaufen?
- ☐ nächste Woche findet das Sommerfest statt
- ☐ Könnten Sie mir am nächsten Mittwoch helfen, Bänke und Tische im Hof aufzustellen?
- ☐ Würden Sie zum Sommerfest ein paar von Ihren CDs mitbringen?
- ☐ und ich brauche Ihre Hilfe.
- ☐ Noch eine Bitte: Sie kommen doch aus Puerto Rico und hören diese tolle Musik.

Viele Grüße

Clemens Jacobs

Schreiben Sie die Sätze in der richtigen Reihenfolge in Ihr Heft.

5 | Bitten in der Befehlsform

a Ergänzen Sie das Verb in Klammern in der Befehlsform.

Von: Hagen Beck
Betreff: Bin krank!

Lieber Niklas, ich bin krank. Bitte hilf (helfen) mir! ___________ (anrufen) bitte Frau Balke ____ und ________ (sagen) ihr, dass unser Termin heute ausfällt. ___________ (schreiben) bitte auch eine Mail an Nadja, damit sie weiß, dass ich heute nicht da bin. Und ___________ (lesen) bitte auch meine E-Mails. Herr Berg wollte mir schreiben, das ist wichtig. Bitte ___________ (antworten) ihm. Vielen Dank, Niklas!

Hagen

Markieren Sie die Befehlsformen in der E-Mail. Schreiben Sie dann diese Befehlsformen für die Sie-Form.

Beispiel: Helfen Sie mir!

6 | Höflicher bitten. Unterstreichen Sie zuerst die Verben in den Sätzen.
Sortieren Sie dann: Welche Bitte passt zu welcher Kollegin?

Kannst du mir bitte einen Gefallen tun? | Können Sie bitte die Briefe an Frau Abel schicken? | Würden Sie mich bitte nächste Woche anrufen? | Könntest du am Mittwoch für mich arbeiten? | Würdest du bitte Herrn Kane vom Bahnhof abholen? | Könnten Sie die Post verteilen?

Hallo Melanie,	Hallo Frau Kießel,
___________	___________
___________	___________
___________	___________
___________	___________

7 | Sie schreiben an Ihren Kollegen, Emil Eifrig.

a Ergänzen Sie die Verben in der richtigen Form.

Lieber Emil,

ich ___________ (müssen) morgen dringend mit meiner Tochter zum Arzt und ___________ (haben) deshalb Urlaub genommen. Aber ausgerechnet morgen ___________ (kommen) wichtige Post und ich ___________ (brauchen) deine Hilfe: ___________ (können) du ein paar Mal am Tag mein Postfach ___________ (kontrollieren)? Wenn ein Brief von der Lidafix GmbH ___________ (kommen), ___________(bringen) ihn bitte gleich zum Chef. Er ___________ (warten) schon darauf. ___________ (können) du vielleicht auch noch die andere Post auf meinen Schreibtisch ___________ (legen)? Ich danke dir sehr!

Viele Grüße

....

b Markieren Sie in 7a alle Sätze, die ein Verb in der Du-Form haben. Schreiben Sie dann den Brief an Ihre Kollegin Emilia Ramazotti in der Sie-Form. Achtung: Sie müssen auch noch Anrede und Gruß ändern!

______________________,

____

____

____

____

____

....

8 | Danke!

a Wie bedanken sich die Personen in Aufgabe 4, 5 und 7?

____

____

b So können Sie sich auch bedanken:

1. das für mich | Vielen Dank, | machen. | dass Sie

____

2. Ihnen | Ich wäre | mir | sehr dankbar, wenn Sie | helfen könnten.

____

3. ist sehr nett | Dank im Voraus, das | Vielen herzlichen | von Ihnen.

____

Schreiben Sie diese Sätze in der Du-Form in Ihr Heft.

9 | Welches Wort passt? Ergänzen Sie die richtige Form.

danken | helfen | sollen | mitbringen | machen | sein

Von: Juan Cazal
Betreff: Sommerfest

Hallo Herr Jacobs,
ich ______________ Ihnen gerne. Grill und Getränke: kein Problem! Ich kann natürlich viele CDs mit guter Musik ______________. ...

Von: Melanie Kießel
Betreff: Vertretung?

Liebe/r ...,
klar, das ______________ ich gern für dich. Gar kein Problem! Wenn ich noch etwas tun ______________, dann ruf mich einfach an.

Von: Emil Eifrig
Betreff: Urlaub!

Hallo und ______________ für Ihre Mail! Im Moment ______________ ich im Urlaub. Ihre Mail beantworte ich ab dem 5.4. wieder.

Ihre Kurzbewerbung

In der Zeitung haben Sie diese Anzeige gelesen und bewerben sich. Schreiben Sie etwas zu Ihrer Person (Ausbildung, Erfahrung, wie Sie sind, was Sie gut können) und wann Sie arbeiten können. Welche Fragen haben Sie zu dieser Arbeit?

E-Mail eleonor@realinfo.de.

Aushilfe gesucht!
Café am Rathausplatz sucht Kellner/Kellnerin sowie Personal für den Verkauf von Kuchen und Torten. Arbeitszeit ca. 15 Stunden/Woche. Interesse? Dann melden Sie sich bei Katja Jelinek, bewerbung@rathausplatzcafé.de.

____________________,

____

____

____

____

____

Ich freue mich sehr, wenn ich mich bei Ihnen vorstellen darf.

____________________ Grüßen

....

Auch Bewerbungen unterschreiben Sie mit Ihrem kompletten Vor- und Nachnamen.

Ihre E-Mail an einen Kollegen

Sie arbeiten als Verkäufer/Verkäuferin in einem Gemüseladen und wollen nächsten Montag Urlaub nehmen. Sie schreiben Ihrem Kollegen, Vladimir Petrow, eine E-Mail und fragen, ob er Sie vertreten kann. Schreiben Sie: Warum soll er Sie vertreten und wann? Was soll er machen? Vergessen Sie nicht Dank und Gruß.

Von:
Betreff:

____________________ Vladimir,

____

____

____

____

____

____

....

Kollegen können sich duzen oder siezen. Wichtig: Achten Sie immer darauf, dass Sie die Sätze entweder in der Sie-Form oder in der Du-Form schreiben. Mischen Sie die Formen nicht!

1 | Krankheiten und Symptome

a Ergänzen Sie den Wortigel. Notieren Sie auch den Artikel, wo nötig.

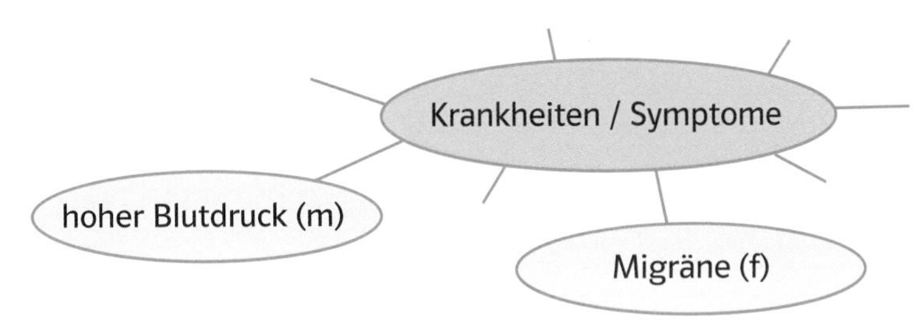

b Was passt? Verwenden Sie jedes Wort nur einmal. Achten Sie auf die richtige Form.

rot | hoch | ~~stark~~ | leicht | entzündet | hoch

1. Meine Frau hat starke Schmerzen, ihr tut alles weh. Sie hat auch __________ Fieber.
2. Ich habe schon seit zwei Tagen __________ Kopfschmerzen, aber das ist fast normal.
   Ich habe immer einen __________ Blutdruck.
3. Seit heute Morgen hat mein Sohn ein __________ Ohr, es tut ihm die ganze Zeit weh.
4. Unsere Tochter hat schon seit zwei Tagen einen ganz __________ Hals.

Schwer? Achten Sie bei der Adjektivdeklination auf den Artikel und das folgende Nomen.

2 | Was bekommt man beim Arzt?

a Finden und markieren Sie die 5 versteckten Wörter.

ewüberweisungkasrezeptjuarbeitsunfähigkeitsbescheinigungprzsattestbeztelnergebnisseaqrhung

b Schreiben Sie die Wörter mit dem richtigen Artikel.

____

____

____

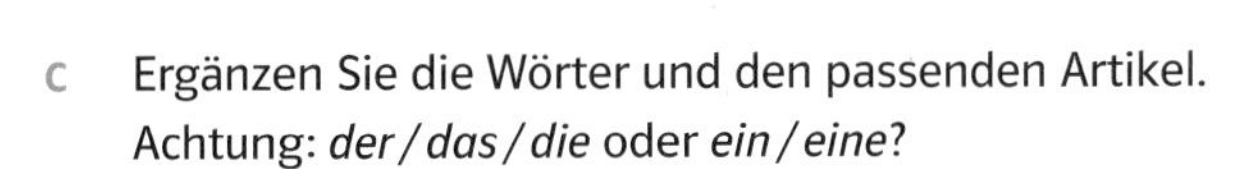

c Ergänzen Sie die Wörter und den passenden Artikel.
Achtung: *der / das / die* oder *ein / eine*?

1. Ich habe ____________________ an die Krankenkasse geschickt.
2. Könntest du für mich zur Apotheke gehen und __________ einlösen?

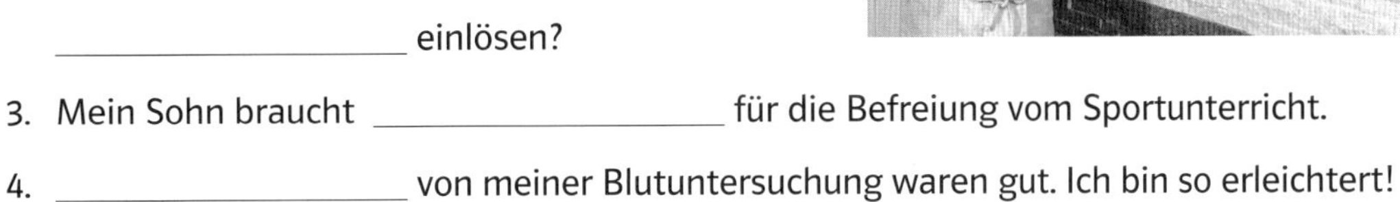

3. Mein Sohn braucht __________ für die Befreiung vom Sportunterricht.
4. __________ von meiner Blutuntersuchung waren gut. Ich bin so erleichtert!
5. Könnte ich bitte __________ zum Orthopäden bekommen?

Tipps geben und nach Tipps fragen

1 | Welche Tipps geben Sie, wenn jemand krank ist oder es ihr/ihm nicht gut geht?

a Schreiben Sie die Wörter richtig und ergänzen Sie eigene Ideen.

viel Ostb eenss | szierpaen geehn | einen Tminer beim rzAt machen | im ttBe blibeen | …

______

______

b Formulieren Sie Tipps mit den Ideen von oben. Benutzen Sie die Befehlsform (Imperativ) oder *müssen*.

Iss viel Obst. / Du musst viel Obst essen.

______

______

Schreiben Sie die Sätze von 1b in der Sie-Form.

2 | Auch so können Sie Tipps geben.

a Ergänzen Sie die Sätze.

1. Wenn du Kopfschmerzen hast, solltest du viel spazieren gehen.
2. Wenn Sie schlecht schlafen, sollten Sie ______
3. ______ ______ immer müde bist, ______
4. ______ ______ Husten ______, ______
5. ______ ______ immer Schnupfen ______, ______

Schwer? Wiederholen Sie Wenn-Sätze und den Gebrauch von Sie sollten / du solltest.

b Benutzen Sie diese Satzanfänge für Ihre Tipps.

Du hast oft Bauchschmerzen? Du bist immer müde und hast auf nichts Lust?

1. Es tut dir bestimmt gut, wenn du viel spazieren gehst.
2. Es ist wichtig, dass ______
3. Es ist gut für dich, dass ______
4. Da hilft bestimmt, wenn ______

3 | Und was sollte man nicht machen? Schreiben Sie Sätze mit *nicht* oder *kein-*.

1. Kaffee trinken: Du solltest keinen Kaffee trinken.
2. arbeiten gehen: ______
3. Sport machen: ______
4. kalt duschen: ______
5. Süßigkeiten essen: ______

Schwer? Wiederholen Sie die Verneinung mit *nicht* oder *kein-*. Achten Sie bei *kein-* auf die richtige Endung.

4 | Ein Bekannter schreibt Ihnen, dass er fast immer krank ist und keinen Appetit mehr hat. Geben Sie Tipps.

Lieber Timo,

das hört sich ja nicht gut an! Vielleicht helfen dir ja diese Tipps:

____

____

____

Viele Grüße und vor allem gute Besserung!

....

5 | Nach Tipps fragen.

a Was passt zusammen? Verbinden Sie – es gibt verschiedene Möglichkeiten.

A Hast du … / Haben Sie …

B Kennst du … / Kennen Sie …

C Weißt du, … / Wissen Sie, …

D Was …

1. ein gutes Mittel gegen Husten?
2. was man da machen kann?
3. einen guten Tipp, der wirklich hilft?
4. rätst du mir?
5. kann man gegen Kopfweh nehmen?
6. etwas, das gegen Grippe hilft?
7. kann ich machen, wenn mein Ohr oft wehtut?
8. was hilft, wenn man immer müde ist?
9. einen Tipp, was man da machen kann?
10. was man machen sollte, wenn man oft krank ist?

A 1, ________________

B ________________

C ________________

D ________________

Schreiben Sie die Sätze nach Du und Sie geordnet in Ihr Heft. Variieren Sie die Krankheiten.

b Welches Wort fehlt hier?

der | der | dem | die | das

1. Wo finde ich einen Zahnarzt, __________ auch Kinder behandelt?
2. Kennst du ein Medikament, __________ schnell wirkt?
3. … einen Arzt, bei __________ man nicht so lange warten muss?
4. … eine Apotheke, in __________ man eine gute Beratung bekommt?
5. … eine Apotheke, __________ auch Naturheilmittel verkauft?

c Fragen Sie jetzt selbst nach Tipps.

Liebe Thea,

ich habe ja solche Rückenschmerzen! Ich kann mich fast nicht mehr bewegen.

____

____

____

Hilfe anbieten

1 | Wie kann man helfen, wenn jemand krank ist?

a Was passt zusammen? Es gibt verschiedene Möglichkeiten. Ergänzen Sie auch noch eigene Ideen.

zum Arzt | zur Apotheke | Medikamente | Essen | die Wohnung | ...	gehen | begleiten | kochen | bringen | putzen | ...

zum Arzt begleiten, ______________________________

____

b Bieten Sie Ihre Hilfe an. Was passt: *dich* oder *dir*?

1. Soll ich ________ deine Medikamente holen?
2. Soll ich vielleicht etwas für ________ kochen?
3. Ich kann auch mit ________ zum Arzt gehen oder ________ besuchen.
4. Wenn du möchtest, könnte ich für ________ die Wohnung putzen.
5. Wenn es ________ hilft, passe ich heute Nachmittag auf deine Kinder auf.

Schreiben Sie die Sätze aus 1b in der Sie-Form. Achtung: Ändern Sie auch *deine*. Schreiben Sie dann ähnliche Sätze mit Ihren eigenen Ideen aus 1a in Ihr Heft.

2 | Anteilnahme ausdrücken. Schreiben Sie die Sätze richtig.

1. leid, dass | krank bist. | du | Tut mir ______________________________
2. mir sehr leid. | du starke Rückenschmerzen | Du hast geschrieben, dass | hast. | Das tut

   ____
3. Du Armer, das tut | deinen Arm gebrochen | ? | bestimmt sehr weh! | Du hast

   ____

3 | Gute Wünsche: Welche Buchstaben fehlen?

1. Ich w___nsche d___r g___te B___ss___rung!
2. Hoff___ntl___ch bist du b___ld wieder f___t!
3. Werde schn___ll wie___er g___su___d!
4. Ich h___ffe, dass ___s d___ bald wieder besser geh___!

Scheiben Sie die Sätze aus Aufgabe 2 und 3 in der Sie-Form.

Rund um den Termin

1 | Einen Termin beim Arzt kann man …

a Schreiben Sie die Verben richtig.

verbareinen | betistägen | abgensa | verbenschie

____

b Benutzen Sie die Verben aus 1a und schreiben Sie die Sätze anders.

1. Ich brauche einen Termin. – Ich möchte einen Termin ______________.
2. Ich kann morgen nicht zum Termin kommen. – Ich muss den Termin morgen leider ______________.
3. Ich kann morgen nicht, aber übermorgen. – Ich muss den Termin morgen ______________, mir ist etwas dazwischen gekommen. Geht vielleicht übermorgen um 10 Uhr?
4. Ja, ich komme am 10. 2. wirklich. – Ich möchte unseren Termin am 10. 2. ______________.

2 | Warum brauchen diese Leute einen Termin beim Arzt? Schreiben Sie die Sätze richtig.

1. komme | zur | ich | Kontrolle. | nur ______________
2. ich heute | starke | kann | Nachmittag noch | Zahnschmerzen | ich habe | vorbeikommen | ?
____
3. habe Schmerzen | im | ich | Fuß | möchte einen | Termin | und | vereinbaren | .
____

3 | Yuri Werner kann den Augenarzt telefonisch nicht erreichen, deshalb schreibt er eine E-Mail. Bringen Sie die Sätze in eine gute Reihenfolge.

- ☐ Liebes Team von der Praxis Dr. Aksöz,
- ☐ deshalb schreibe ich Ihnen diese E-Mail.
- ☐ da habe ich den ganzen Tag Zeit.
- ☐ leider kann ich Sie nicht telefonisch erreichen,
- ☐ Ich denke,
- ☐ Vielen Dank und viele Grüße
- ☐ Yuri Werner
- ☐ Meine Nummer ist 0151 / 675698.
- ☐ damit Dr. Aksöz meine Augen untersucht?
- ☐ Ich habe schon länger starke Kopfschmerzen und meine Augen tun weh.
- ☐ dass ich vielleicht eine neue Brille brauche.
- ☐ Schreiben Sie mir bitte eine Mail oder rufen Sie mich an.
- ☐ Geht vielleicht nächste Woche Mittwoch oder Donnerstag nach 16 Uhr?
- ☐ Können Sie mir bitte einen Termin geben,
- ☐ Oder übernächste Woche Montag,

Schreiben Sie den Brief in der richtigen Reihenfolge ab. Schreiben Sie einen anderen Terminvorschlag.

Ihre Anfrage beim Arzt

Sie nehmen Tabletten gegen hohen Blutdruck und brauchen ein neues Rezept. Außerdem möchten Sie einen Termin für eine Kontrolluntersuchung. Sie haben immer erst ab 16 Uhr Zeit, weil Sie arbeiten. Schreiben Sie eine E-Mail an Frau Bauer, die bei Ihrem Hausarzt arbeitet.

______________________________,

____

____

____

____

____

____

____

....

Anrede mit Sie: Unterschreiben Sie mit Ihrem kompletten Namen, zuerst Ihr Vorname, dann Ihr Nachname.

Ihre Tipps und Hilfe

Ein Bekannter hat eine starke Erkältung. Sie wollen ihm helfen. Schreiben Sie ihm eine E-Mail. Drücken Sie Ihr Mitleid aus, geben Sie ihm Tipps und bieten Sie Hilfe an. Vergessen Sie auch nicht, Ihrem Bekannten gute Besserung zu wünschen!

Schreiben Sie hier den Vornamen von Ihrem Bekannten.

______________________________,

____

____

____

____

____

____

____

....

Unterschreiben Sie Briefe an Bekannte oder Freunde nur mit Ihrem Vornamen.

7 Aus- und Weiterbildung

1 | Angebote

a Bilden Sie Wörter und ergänzen Sie den Artikel.

-kurs | -bildung | -ung | -kat | Umschul- | Englisch- | Computer- | Bescheini- | -nis | Prüf- | -kurs | -gung | -schluss | Zeug- | -bildung | Zertifi- | Schulab- | -ung | Aus- | Fort-

Ich interessiere mich für … einen Computerkurs, ______________________

____

Wenn ich fertig bin, habe / bekomme ich ______________________

b Wo finden Sie Angebote für eine Aus- oder Weiterbildung?

an | bei | in — der — Agentur für Arbeit | VHS | Abendschule

____

c Welche Kurse haben Sie schon gemacht? Wo haben Sie das gemacht und was haben Sie am Ende bekommen?

____

____

____

____

____

2 | Ergänzen Sie das passende Verb in der richtigen Form.

abmelden | anmelden | machen | nachholen | suchen | anbieten | entschuldigen | bekommen

1. Ich würde mich gerne zum Englischkurs ______________, aber ich habe noch Fragen.
2. Ich möchte gerne eine Ausbildung ______________. Wo kann ich mich informieren?
3. Ich muss mich leider vom Computerkurs ______________, weil ich keine Zeit mehr habe.
4. ______________ Sie auch Kurse für Anfänger ______________? Ich ______________ einen passenden Kurs.
5. Kann ich bei Ihnen meinen Schulabschluss ______________, ich habe nämlich keinen.
6. Bitte ______________ Sie mich nächste Woche, da kann ich nicht zum Kurs kommen.
7. Ich ______________ zu Hause schon einen Kurs ______________, aber leider ______________ ich kein Zertifikat ______________.
8. Ich war leider krank. Wann kann ich die Prüfung ______________?

Sich über Bildungsangebote informieren

1 | In der Zeitung haben Sie eine Anzeige gefunden. Sie möchten mehr Informationen. Formulieren Sie Fragen zu den folgenden Punkten:

bis wann | anmelden | wie lange | dauern | wo | stattfinden | bekommen

Jetzt anmelden!
Neue Kurse bei Lernfix
Sprachkurse und Computerkurse, für Jung und Alt! Genaue Termine und weitere Informationen unter:
fragen@lernfix-deutschland.de

Anmeldefrist? ______________________

Dauer? ______________________

Kursort? ______________________

Kurs in Schulferien? ______________________

Zertifikat? ______________________

→ Mehr zu W- und Ja / Nein-Fragen finden Sie z. B. auf S. 11, 12, 20, 26, 36.

2 | Frau Müller interessiert sich für einen Kurs. Schreiben Sie die Sätze in der richtigen Reihenfolge ab.

Ich brauche einen Kurs für Anfänger, gibt es welche bei Ihnen?

Ich habe in der Zeitung Ihre Anzeige gelesen.

Ich bedanke mich im Voraus für Ihre Antwort.

An welchen Tagen ist der Kurs und um wie viel Uhr?

Und wie viel kostet der Kurs?

Ich möchte gerne einen Computerkurs machen, aber ich habe noch ein paar Fragen:

Sehr geehrte Damen und Herren,

____

____

____

____

____

____

Mit freundlichen Grüßen

Jana Müller

Anmeldung und Abmeldung

1 | Eine Bekannte möchte an der Volkshochschule den Kurs „Englisch für Anfänger" (Nummer 328) machen. Helfen Sie ihr, das Formular auszufüllen.

VHS Neudorf **Anmeldeformular**	
Kursnummer:	Kurstitel:
Name, Vorname:	
Anschrift:	
Telefon und/oder E-Mail:	
Einzugsermächtigung Hiermit ermächtige ich einmalig die VHS Neudorf, das von mir zu entrichtende Entgelt für oben genannte Kurse zu Lasten meines Kontos (bzw. des Kontoinhabers) durch Lastschrift einzuziehen.	
Kontoinhaber: Kontonummer:	Bankleitzahl: Geldinstitut:
Datum:	Unterschrift:

2 | Nach drei Monaten Kurs möchte sich Ihre Bekannte wieder abmelden.

a Was sind vielleicht die Gründe für die Abmeldung? Notieren Sie schnell einige Ideen.

____

b Ergänzen Sie die Sätze.

1. Hiermit ____________ ich mich vom Englischkurs 328 ____________. Ich habe leider keine Zeit mehr.
2. Ich möchte mich zum Ende des Monats vom Kurs ____________, da ____________
____
3. Leider kann ich ab nächsten Monat nicht mehr am Unterricht teilnehmen, weil ____________
____

Sich entschuldigen

1 | Haben Sie in der Vergangenheit gefehlt oder fehlen Sie in der Zukunft?

a Markieren Sie die Zeitangaben in den Sätzen. Ergänzen Sie dann die Verben in Klammern in der richtigen Zeit-Form.

1. Ich ______________ (können) am letzten Donnerstag leider nicht am Integrationskurs ______________ (teilnehmen), weil ich einen dringenden Termin bei der Agentur für Arbeit ______________ (haben).
2. Ich ______________ (müssen) morgen zu Hause ______________ (bleiben), weil meine Kinder keine Schule ______________ (haben) und ich auf sie ______________ ______________ (aufpassen müssen).
3. Vor einer Woche ______________ die Züge wegen des schlechten Wetters nicht ______________ (fahren), deshalb ______________ ich den Kurs leider ______________ (verpassen).
4. Am 23.4. ______________ (sein) ich nicht im Kurs, weil wir Besuch aus unserer Heimat Jordanien ______________ (bekommen).
5. Am nächsten Mittwoch (14.5.) ______________ (können) ich leider nicht am Unterricht ______________ (teilnehmen), weil ich einen Termin beim Zahnarzt ______________ (haben).

2 | Sie waren letzte Woche nicht in Ihrem Kurs „Internet für Anfänger".
Schreiben Sie eine E-Mail an Ihre Kursleiterin.

a Schreiben Sie zuerst: • Grund Ihres Schreibens • Grund für Ihr Fehlen

____

b Schreiben Sie jetzt zu folgenden Punkten:
• Was im Kurs gemacht? • Was zu Hause machen? • Wann Kurs für Fortgeschrittene?
• Wo Anmeldeformular?

____

____

Und noch eine Frage, Sie haben uns ja gesagt, dass wir vielleicht weitermachen können.

Wann ____

____

Schreiben Sie die Entschuldigung in Ihr Heft. Ergänzen Sie noch eine eigene Idee, die passende Anrede und einen passenden Gruß – und natürlich Ihre Unterschrift.
Schreiben Sie dann eine zweite Entschuldigung: Sie gehen **nächste Woche** nicht zum Kurs. Schreiben Sie zu folgenden Punkten: Grund Ihres Schreibens, Grund für Ihr Fehlen, Dauer Ihrer Abwesenheit, Aufgaben für zu Hause.

Ihr Brief an einen Bekannten

Sie haben einen Brief von Ihrem Bekannten Ulrich erhalten. Lesen Sie den Brief und schreiben Sie dann eine Antwort. Schreiben Sie mindestens einen Satz zu allen vier Punkten, die unter dem Brief stehen. Vergessen Sie nicht Anrede, Gruß und Ihre Unterschrift!

12.12. ...

Liebe/r ...,

ich habe mich lange nicht mehr bei dir gemeldet, das tut mir leid!
Bei mir gibt es etwas Neues: Ich arbeite jetzt zu Hause viel am Computer und ich möchte deshalb einen Computerkurs machen. Hast du nicht im letzten Jahr mal einen Computerkurs gemacht? Wie war denn das? Was hast du gelernt? Kennst du dich jetzt auch mit dem Internet aus? Ich habe zwar einen Internetanschluss, aber ich benutze ihn kaum. Vielleicht wäre ein Internetkurs gut für mich, was denkst du? Es wäre toll, wenn du mir ein paar Tipps geben könntest! Wir müssen uns auch unbedingt mal wieder treffen, oder?
Also, mach's gut und hoffentlich bis bald!

Viele Grüße
Ulrich

Antworten Sie und schreiben Sie etwas zu folgenden Punkten:

- Ihr Computerkurs
- Tipps für Kurse (wo? wann?)
- Ihre Internetkenntnisse
- Ulrich treffen?

Denken Sie sich einfach etwas aus! Wichtig ist, dass Sie etwas zu allen 4 Punkten schreiben.

______________________,

____

____

____

____

____

____

____

____

____

....

8 Versicherungen & Co.

1 | Was passt zusammen? Ergänzen Sie auch den richtigen Artikel.

Ordnungs- | Ausländer- | Haftpflicht- | Finanz- | Wohnungs- | Bürger- | Kranken- | Renten- | Standes- | Jugend- | Hausrat-

-amt | -behörde | -büro | -versicherung

____

____

Das kann man auch sagen: Agentur für Arbeit = ______________ amt

2 | An Ämter und Versicherungen schreiben

a Schreiben Sie die Verben richtig.

zahlnbee | schleißenab | passenver | denmle | küngedni | schckenizu

____

b Welches Verb passt?

1. eine Versicherung ______________
2. einen Beitrag ______________
3. ein Formular ______________
4. die Kündigungsfrist ______________
5. die Unterlagen ______________
6. einen Schaden ______________

c Schreiben Sie die Sätze richtig. Ergänzen Sie auch das passende Verb aus 2b im Perfekt.

1. meine Versicherung | Ich

   ____

2. Leider | die Kündigungsfrist | ich

   ____

3. schon letzten Monat | Meinen Beitrag | ich

   ____

4. mir die Unterlagen | Sie | noch nicht

   ____

5. Ich | eine Haftpflichtversicherung | bei Ihnen

   ____

6. bei Ihnen | Letzten Monat | wir einen Schaden

   ____

3 | Sehen Sie sich das Foto an. Was ist hier passiert?

Mein ______________ hat sich ______________

Jetzt ist ______________ kaputt.

Sich über Versicherungen informieren

1 | Viele Fragen

a Schreiben Sie die Fragesätze richtig.

1. läuft | wie lange | der Vertrag normalerweise
   ____
2. eine Möglichkeit, | günstiger zu bekommen | gibt es | die Versicherung
   ____
3. einem Schaden | was genau | Sie bei | bezahlen
   ____
4. wie viel | pro Jahr | die Versicherung | kostet
   ____
5. kann | die Versicherung | ich | beenden | wann
   ____

b Zu welchem Satz von 1a passen diese Stichpunkte? Ordnen Sie zu.

☐ Leistungen ☐ Beitrag ☐ Kündigungsfrist ☐ Laufzeit ☐ Rabatt

2 | Lesen Sie die Anzeigen und notieren Sie: Welche Informationen fehlen?

A
Top Haftpflicht-Versicherung für 50,00 €/Jahr! Infos unter: guenstig@toll-versichert.de

B
Kurze Laufzeit (3 Monate), faire Beiträge ab 40,00 Euro/Jahr: Versichern Sie Ihren Hausrat bei uns!
E-Mail: rudi.raffke@ramsch.de

C
Telefon 0139/425888.
Jetzt wechseln! **ABC Krankenversicherung** – wir übernehmen alle Kosten im Krankheitsfall! Infos: anfrage@abcversicherung.eu

A	B	C
______	die Leistungen,	______
______	______	______
______	______	______

3 | Hier ist eine Anfrage zu Anzeige A. Bringen Sie die Sätze in die richtige Reihenfolge.

☐ Was bezahlen Sie genau bei einem Schaden?

☐ Welche Leistungen bieten Sie an?

☐ Schließlich möchte ich wissen, ob Sie vielleicht einen Rabatt anbieten?

☐ In der Zeitung habe ich Ihre Anzeige gelesen und interessiere mich für Ihr Angebot.

☐ Außerdem interessiert mich, wie lange der Vertrag läuft.

Schreiben Sie den Brief in der richtigen Reihenfolge ab. Ergänzen Sie Anrede, Gruß und Unterschrift.

→ Mehr zu Anrede und Gruß finden Sie z. B. auf S. 7.

Einen Schaden melden

1 | Was ist passiert? Schreiben Sie Sätze im Perfekt.

1. unser Sohn | beim Fußballspielen | kaputtmachen | ein Fenster der Nachbarin

   ____

2. ich | die Teekanne von Lalita Gupta | fallen lassen | sie | zerbrechen

   ____

3. mein Mann | machen | beim Parken eine Beule | von Frau Schneider | in das Auto

   ____

2 | Ein Formular ausfüllen und den Schadenhergang beschreiben

a Das ist passiert. Ergänzen Sie die Verben in Klammern in der richtigen Form.

Ihre Tochter ist am 13.6. am Nachmittag auf der Straße Inliner ______________ (fahren) und hat einen langen Kratzer in das Auto Ihrer Nachbarin Frau Prosizc ______________ (machen). Ihre Nachbarin hatte vor dem Haus ______________ (parken). Sie möchte jetzt ihr Auto in die Werkstatt ______________ (bringen) und ______________ (wollen), dass Sie dann die Rechnung für die Reparatur ______________ (bezahlen).

b Füllen Sie die grauen Felder im Formular mit den Informationen aus 2a aus. Die Daten von Frau Prosizc finden Sie auf S. 49.

Haftpflicht-Schadenanzeige Versicherungsnummer: 02571997-XB-02

Angaben zum Geschädigten

Name: ______________ Anschrift: ______________

Besteht zwischen Ihnen und dem Geschädigten ein Familien- oder Verwandtschaftsverhältnis?

☒ Nein ☐ Ja: ______________

Personenschaden

☒ Nein ☐ Ja: ______________

Angaben zum Schaden

Datum, Uhrzeit, Ort (Wo ereignete sich der Schadenfall?)

____

Schadenhergang (Bitte ausführlich schildern, ggf. auf einem gesonderten Blatt.)
siehe beigelegtes Blatt

Welche Sache ist beschädigt?

____

Ist der Geschädigte Eigentümer?
☒ Ja ☐ Nein

Wie hoch schätzen Sie den Schaden?
ca. ______________ Euro

Ist der Schaden bereits behoben?
☐ Ja ☒ Nein

An wen soll die Entschädigung überwiesen werden?

Name: ______________ Kontonummer: ______________

BLZ: ______________

Schreiben Sie den Schadenhergang aus 2a jetzt aus Ihrer Sicht:
Unsere Tochter ...

3 | Die Versicherung informieren

a So können Sie einen Brief / eine E-Mail beginnen. Bilden Sie zwei Sätze.

habe eine | einen Schaden | und möchte | melden | schicke ich | Ihnen die ausgefüllte | Haftpflicht-versicherung bei Ihnen | Schadenanzeige

1. Ich ______
2. Wie telefonisch besprochen ______

b Der Schadenhergang: Was ist wann passiert? Markieren Sie die Zeitwörter in den Sätzen. Bringen Sie die Sätze dann in die richtige Reihenfolge.

☐ Meine Kinder haben sich danach bei Herrn Giftig entschuldigt. ☐ Dabei sind die Lampen kaputtgegangen. ☐ Meine Kinder haben das Fahrrad umgeworfen. ☐ Bezahlen Sie das neue Fahrrad für Herrn Giftig? ☐ Dann kam Herr Giftig und hat sein Fahrrad in den Garten gestellt. ☐ Meine Kinder waren erst alleine im Garten und haben gespielt. ☐ Aber er will trotzdem ein neues Fahrrad.

Schreiben Sie die Sätze in der richtigen Reihenfolge in Ihr Heft.

c Sie waren bei Bekannten zu Besuch und haben eine Vase zerbrochen. Beschreiben Sie, was passiert ist. Benutzen Sie auch die Zeitwörter aus 3b.

Kaffee getrunken | geholfen, Tisch abzuräumen | Geschirr in die Küche getragen | nicht gut gesehen | an die Vase gestoßen | die Vase ist runtergefallen | neue Vase gekauft

______

______

______

4 | Was möchten Sie von der Versicherung? Ergänzen Sie die Verben.

geben | überweisen | schicken | machen | bezahlen

1. Bitte ______ Sie mir das richtige Formular.
2. ______ Sie die Rechnung für die neue Vase, die ich gekauft habe?
3. Können Sie das Geld auf das Konto von Herrn Müller ______?
4. Was muss ich jetzt ______? ______ Sie mir bitte schnell Bescheid.

Schreiben Sie eine komplette Schadenmeldung an die Versicherung in Ihr Heft. Schreiben Sie dafür Aufgabe 3c ab oder suchen Sie sich eine ganz neue Situation aus Aufgabe 1 von S. 54. Ergänzen Sie einen ersten Satz aus Aufgabe 3 und einen Schlusssatz aus Aufgabe 4. Vergessen Sie auch nicht eine passende Anrede und einen Gruß.

Eine Änderung mitteilen

1 | Manchmal gibt es Änderungen, die Sie der Versicherung oder einem Amt mitteilen müssen.

a Was kann sich ändern? Ergänzen Sie auch eigene Ideen.

1. die A_______s__e 2. die ____lef____nu____er 3. die Ko____on____m__r

4. die ____-Ma____adre______e 5. der Na____e ________________

b Schreiben Sie die Sätze richtig. Achtung: Sie müssen noch Wörter ergänzen.

1. Ich – geheiratet – deshalb – sich Name geändert | Nachname jetzt Pfannkuch

   ____

2. Wir – andere Straße – umgezogen | neue Adresse: Luisenstraße 14

   ____

3. Wir – neue Telefonnummer: 987690 | Nummer Handy – sich nicht geändert

   ____

Schreiben Sie eine kurze Mitteilung für die anderen Punkte aus 1a. Ergänzen Sie eine Anrede, einen Gruß und unterschreiben Sie mit Ihrem Namen.

Eine Kündigung schreiben

1 | Warum kündigt man eine Versicherung?

a Notieren Sie Ideen. Sie haben eine Minute Zeit.

schlechter Service, ____

b Schreiben Sie weil-Sätze mit Ihren Ideen aus 1a.

1. Hiermit kündige ich meine Haftpflichtversicherung, weil ________________
2. Fristgerecht zum 31.12.2011 kündige ich die Versicherung, weil ________________

   ____

3. Ich möchte meine Versicherung zum nächstmöglichen Termin kündigen, weil ________________

   ________________. Bitte bestätigen Sie meine Kündigung schriftlich.

zum + Datum benutzt man fast nur bei Kündigungen. Es bedeutet: Ich kündige heute, aber der Vertrag endet erst an dem genannten Datum.

c Ergänzen Sie: *zum*, *hiermit* und *fristgerecht*.

1. ____________ kündige ich meine Versicherung bei Ihnen ____________

   ____________ 30.09.2011. Bitte bestätigen Sie diese Kündigung.

2. Da ich ein besseres Angebot erhalten habe, kündige ich ____________ meine Kfz-Versicherung ____________ ____________ 30.06.2012. Bitte schicken Sie mir eine Bestätigung meiner Kündigung.

Ihre Schadenmeldung

Ihre Tochter hat beim Spielen den Fernseher der Nachbarin kaputtgemacht. Sie möchten, dass Ihre Versicherung die Reparatur bezahlt und schreiben Ihrer Versicherung zu diesen Punkten: Warum schreiben Sie? Was ist passiert? Was soll die Versicherung machen?
Ergänzen Sie einen schönen Schlusssatz und denken Sie an Anrede, Gruß und Unterschrift.

______________________,

____

____

____

____

____

____

....

Ihre Kündigung

Sie haben diese Versicherung vor 2 Jahren abgeschlossen, aber jetzt soll sie 150,00 Euro pro Jahr kosten. Sie kündigen (Frist: 31. Dezember). Denken Sie an folgende Punkte: Warum schreiben Sie? Warum kündigen Sie? Frist / Termin? Vergessen Sie Anrede und Gruß und Ihre Unterschrift nicht.

Telefon 0139/425888.
Jetzt wechseln! **ABC Krankenversicherung** – wir übernehmen alle Kosten im Krankheitsfall! Infos: anfrage@abcversicherung.eu

______________________,

____

____

____

____

____

____

....

9 Jetzt zur Prüfung

1 | Mit *Einfach schreiben!* haben Sie für den Teil „Schreiben" in verschiedenen Prüfungen trainiert. Kreuzen Sie die Prüfung an, die Sie bald machen. Lesen Sie dann die Informationen für Ihre Prüfung und ergänzen Sie unten.

	Prüfung	Aufgabe und Besonderheiten	Zeit
☐	**Start Deutsch 2** (SD 2) Niveau A2	Der Teil „Schreiben" besteht aus 2 Aufgaben: 1. Sie müssen ein Formular ausfüllen. 2. Sie müssen eine kurze Notiz oder E-Mail oder einen kurzen Brief schreiben.	50 Minuten für die Teile Lesen *und* Schreiben, also ca. 30 Minuten für „Schreiben"
☐	**Deutsch-Test für Zuwanderer** (DTZ) Niveau A2/B1	Sie bekommen ein Blatt mit zwei Aufgaben. Sie müssen beide Aufgaben lesen, eine Aufgabe aussuchen und dann zu dieser Aufgabe einen Brief schreiben.	30 Minuten
☐	**Zertifikat Deutsch** (ZD) Niveau B1	Sie müssen zuerst einen längeren Brief, eine E-Mail etc. lesen und dann darauf antworten.	30 Minuten

Ich mache die Prüfung ________________________ und muss ____________

____

Dafür habe ich insgesamt ________________ Zeit.

2 | Die Zeit ist wichtig!
In der Prüfung vergeht die Zeit immer sehr schnell. Üben Sie, sich Ihre Zeit einzuteilen.

a Wie lange brauchen Sie zum Lesen der Aufgaben auf diesen Seiten?

1. S. 18 (Ihre Bitte um mehr Informationen): ________ Minuten
2. S. 40 (Ihre E-Mail an einen Kollegen): ________ Minuten
3. S. 51 (Ihr Brief an einen Bekannten): ________ Minuten

b Stoppen Sie die Zeit. Wie lange brauchen Sie für …

1. Aufgabe 1, Seite 49: ________ Minuten
2. S. 18, schreiben Sie *Ihre Bitte um mehr Informationen* (ab): ________ Minuten
3. S. 51, schreiben Sie *Ihren Brief an einen Bekannten* (ab): ________ Minuten

Sie erhalten in der Prüfung ein Blatt mit den Aufgaben und einen Antwortbogen. Schreiben Sie Ihren Brief bzw. Ihre E-Mail gleich auf diesen Antwortbogen! Machen Sie keine Notizen vorher und „üben" Sie auch nicht zuerst auf einem anderen Blatt. Sie haben sehr wenig Zeit und nur der Text auf dem Antwortbogen zählt!

Start Deutsch 2

1 | Ein Formular ausfüllen

a Lesen Sie zuerst die Situation:

> **Teil 1**
>
> Ihre Bekannte, Rosalie da Silva, möchte Sport machen. Sie möchte sich zu einem Fußballkurs bei Harald Bauer anmelden. Rosalie hat immer erst ab 19 Uhr Zeit für einen Kurs. Helfen Sie Rosalie, das Anmeldeformular auszufüllen.

In der Prüfung können Sie beim Lesen der Aufgabe schon wichtige Informationen unterstreichen. Lesen Sie die Aufgabe immer ganz genau. Achten Sie trotzdem auf die Zeit!

b Füllen Sie das Formular aus.

Anmeldeformular – Sportkurse Fit mit Spaß!		
Nachname:	da Silva	0
Vorname:		1
geb. am:	12.01.1978	
geb. in:		2
Straße:		3
Postleitzahl und Wohnort:	61985 Wiesbaden	
Kursleiter:	Harald Bauer	
Sportart:		4
Uhrzeit:	ab	5

Wie lange haben Sie für diese Aufgabe gebraucht? Insgesamt sollten Sie für die erste Aufgabe nicht mehr als 10 Minuten brauchen, denn Sie brauchen die Zeit noch für den Brief in Teil 2. Denken Sie in der Prüfung daran: Schreiben Sie Ihre Antworten direkt auf den Antwortbogen!

2 | Einen kurzen Text (Mitteilung, Brief, …) schreiben.

a So sieht die Prüfungsaufgabe aus:

Teil 2

Ihre Bekannte Tamara besucht einen Deutschkurs und hat Probleme mit der Grammatik. Sie möchte mit Ihnen zusammen üben. Schreiben Sie Tamara.
Hier finden Sie vier Punkte. Wählen Sie **drei** aus. Schreiben Sie zu jedem Punkt ein bis zwei Sätze auf den **Antwortbogen**. Vergessen Sie nicht den passenden Anfang und Gruß am Schluss.

jemanden mitbringen?

Bücher?

wo treffen?

Uhrzeit?

b An wen sollen Sie schreiben? Sagen Sie du oder Sie zu dieser Person? Wie ist die Anrede?

Ich schreibe an ____________________. Ich sage / schreibe ____________________.

Die Anrede ist z. B. ____.

→ Suchen Sie noch mal im Buch. Welche Anredemöglichkeiten finden Sie noch für einen Brief an Bekannte?

c Überlegen Sie kurz: Was fällt Ihnen zu den 4 Punkten ein?

____

____

d Welche drei Punkte suchen Sie aus?

________________ ________________ ________________

Schreiben Sie jetzt Ihren Brief in Ihr Heft oder auf ein Blatt Papier. Stoppen Sie die Zeit.

e Wie unterschreiben Sie Ihren Brief?

☐ egal, irgendein Name ☐ mein Vor- und Familienname ☐ mein Vorname

→ Suchen Sie im Buch: Welche Unterschrift passt am besten zu welchem Brief?

Brief per „Sie“: ____________________ Brief per „Du“: ____________________

Suchen Sie sich schnell drei Punkte aus – Sie haben nur ca. 20 Minuten Zeit. Schreiben Sie in der Prüfung gleich auf den Antwortbogen. Schreiben Sie mit Bleistift. Entscheiden Sie sich für die Anrede mit „Sie“ oder „Du“ und schreiben Sie den ganzen Brief per Du oder per Sie – wechseln Sie nicht mitten im Brief!

→ Ein Beispiel für diesen Brief finden Sie im Internet unter www.klett.de/einfachschreiben

Deutsch-Test für Zuwanderer

1 | So sieht der Teil „Schreiben" in der Prüfung aus:

Wählen Sie Aufgabe A **oder** Aufgabe B. Zeigen Sie, was Sie können. Schreiben Sie möglichst viel. Schreiben Sie Ihren Text auf den Antwortbogen.

Aufgabe A

In der Zeitung haben Sie eine Anzeige gelesen: Jemand sucht eine Hilfe für den Haushalt. Sie interessieren sich für den Job und schreiben einen Brief.
Schreiben Sie etwas zu folgenden Punkten:

- Grund für Ihr Schreiben
- welche Aufgaben?
- Arbeitszeit?
- Bezahlung?

oder

Aufgabe B

Sie sind krank und können nächste Woche nicht in den Deutschkurs gehen.
Sie schreiben eine Entschuldigung an Ihren Lehrer, Peter Müller.
Schreiben Sie etwas zu folgenden Punkten:

- Grund für Ihr Schreiben
- wann zurück?
- Hausaufgaben?
- zu Hause üben?

a Was für einen Brief sollen Sie in diesem Beispiel schreiben? Welche Aufgabe wählen Sie?

dntsEchuligung | bBeungwer

Ich muss hier eine __________________ oder eine __________________ schreiben.

Ich wähle Aufgabe ______________, die ______________________________.

In *Einfach schreiben!* haben Sie Briefe oder E-Mails zu vielen verschiedenen Themen geschrieben. Sehen Sie sich noch einmal alle Aufgaben am Ende der Kapitel an. Welche fanden Sie einfacher, welche schwieriger? Üben Sie noch einmal die Briefe, die Sie schwieriger fanden! Entscheiden Sie sich in der Prüfung schnell für das Thema, das Sie einfacher finden und zu dem Sie gute Ideen haben. Achtung: Sie haben insgesamt nur 30 Minuten Zeit.

2 | An wen schreiben Sie Ihren Brief?

a Unterstreichen Sie in der Aufgabe A oder B und schreiben Sie eine passende Anrede.

____,

b Schreiben Sie dann in der Sie- oder in der Du-Form?

☐ Sie ☐ Du

Sagen Sie im Brief immer „Sie" oder immer „Du" – mischen Sie nicht!

3 | „Schreiben Sie etwas zu folgenden Punkten:" …

a Der erste Punkt ist oft (aber nicht immer!) „Grund für Ihr Schreiben". Was könnte für Ihre Aufgabe der Grund für das Schreiben sein?

Aufgabe ___________

Grund für Ihr Schreiben: ____

Suchen Sie noch einmal im Buch: Wo finden Sie erste Sätze für eine Bewerbung oder Entschuldigung? Sammeln Sie diese Sätze in Ihrem Heft.

b Oft hilft Ihnen auch der Text in der Aufgabe, aber Sie müssen ihn anders schreiben. Schreiben Sie diese Sätze für die Ich-Form:

1. Sie haben in der Zeitung eine Anzeige gelesen und interessieren sich für den Job.

Ich ____

2. Sie sind krank und können nächste Woche nicht in den Deutschkurs gehen.

____

c Sammeln Sie Ideen zu den anderen Punkten Ihrer Aufgabe.

☐ ____

____

☐ ____

____

☐ ____

____

d Überlegen und nummerieren Sie in 3c: In welcher Reihenfolge schreiben Sie etwas zu den Punkten?

Finden Sie eine gute, logische Reihenfolge für Ihren Brief. Oft können Sie die Reihenfolge der vorgegebenen Punkte übernehmen. Schreiben Sie zu jedem Punkt zwei bis drei Sätze und achten Sie darauf, dass Sie die Sätze verbinden, wenn es geht. Nicht jedes Wort muss richtig geschrieben sein, Sie dürfen auch in der Prüfung ein paar Fehler machen. Wichtig ist, dass Sie **zu jedem Punkt etwas schreiben**.

e Suchen Sie noch einmal im Buch Sätze für den Schluss (z. B. wie man sich bedankt, was man will). Wählen Sie passende Sätze für Ihren Brief aus.

____

____

Schreiben Sie jetzt den Brief für Ihre Aufgabe komplett in Ihr Heft oder auf ein Blatt Papier. Achten Sie auch auf die Zeit.

→ Beispiele für diese Briefe (Niveau A2 und Niveau B1) finden Sie im Internet unter www.klett.de/einfachschreiben

Zertifikat Deutsch

1 | So sieht der Teil „Schreiben“ in der Prüfung aus:

Ihr Bekannter Harald möchte mit seiner Frau und seiner kleinen Tochter Urlaub machen. Sie möchten in das Land reisen, aus dem Sie kommen. Deshalb hat er Ihnen eine E-Mail geschrieben:

Von: Harald Rabe
Betreff: Reisetipps?

Liebe/r …,
wie geht es dir? Ich hoffe, es ist alles in Ordnung! Bei uns gibt es etwas Neues: Du weißt ja, dass wir schon lange einmal eine große Reise machen wollten. Jetzt ist es endlich soweit! Und zwar wollen wir Urlaub in deinem Heimatland machen. Wir haben auch schon etwas darüber gelesen, aber ich dachte, dass du uns vielleicht ein paar Tipps geben kannst. Was denkst du: Wo können wir am besten übernachten? In einem Hotel oder ist das zu teuer? Und wie können wir am besten reisen? Natürlich wollen wir uns auch ein paar Sehenswürdigkeiten anschauen. Was würdest du uns besonders empfehlen? Ich freue mich schon auf deine Antwort!
Viele Grüße und bis bald!
Harald

Antworten Sie Harald und schreiben Sie etwas zu folgenden Punkten:
- was besichtigen / anschauen?
- wie reisen (Auto, Flugzeug, …)?
- Übernachtungsmöglichkeiten?
- was es bei Ihnen Neues gibt

Schreiben Sie in Ihrem Brief etwas zu allen 4 Punkten. Überlegen Sie sich dabei eine passende **Reihenfolge der Punkte**. Vergessen Sie nicht **Datum** und **Anrede**, und schreiben Sie auch eine passende **Einleitung** und einen passenden **Schluss**.

Sie haben insgesamt nur 30 Minuten Zeit, um den Brief bzw. die E-Mail zu lesen und selbst eine Antwort zu schreiben! Es ist wichtig, dass Sie zu allen Punkten etwas schreiben, auch wenn Sie dabei vielleicht Fehler machen.

2 | „Schreiben Sie etwas zu …“

a Was wäre eine passende Reihenfolge für die 4 Punkte? Notieren Sie:

____

b Achten Sie in der Prüfung auch genau darauf, wozu Sie noch etwas schreiben sollen.

Hier müssen Sie das ______________, die ______________, eine passende ______________ und einen passenden ______________ schreiben.

Scheiben Sie jetzt den kompletten Brief in Ihr Heft oder auf ein Blatt Papier.

→ Ein Beispiel für eine Lösung finden Sie im Internet unter www.klett.de/einfachschreiben.de

Umschlag Thinkstock (iStockphoto), München; **6** Thinkstock (photos.com), München; **9** Thinkstock (istockphoto), München; **10.1** Thinkstock (istockphot), München; **10.2** Thinkstock (Digital Vision/ Ryan McVay), München; **10.3** Thinkstock (istockphoto), München; **10.4** Thinkstock (istockphoto), München; **11** Thinkstock (istockphoto), München; **12.1** Thinkstock (istockphoto), München; **12.2** Thinkstock (Hemera), München; **13** Thinkstock (istockphoto), München; **14** Klett-Archiv, Stuttgart; **16** Thinkstock (Pixland), München; **19** Thinkstock (Hemera), München; **20** Thinkstock (istockphoto), München; **21** Thinkstock (istockphoto), München; **22** Thinkstock (Creatas), München; **25** Thinkstock (istockphoto), München; **27** Thinkstock (istockphoto), München; **28** Thinkstock (photos.com), München; **30** Thinkstock (Hemera), München; **36** Thinkstock (Comstock), München; **39** Thinkstock (Hemera), München; **41** Thinkstock (istockphoto), München; **43** Thinkstock (Stockbyte/ George Doyle), München; **44** Thinkstock (Creatas), München; **47** Thinkstock (Banana Stock), München; **49** istockphoto (Laurent Renault), München; **52** Thinkstock (Photodisc), München; **55** Thinkstock (Photodisc), München; **58** Thinkstock (Creatas), München **59** Thinkstock (Getty Images), München